ちくま新書

悪魔の証明

——なかっ

てきるか

谷岡一郎
Tanioka Ichiro

1574

悪魔の証明——なかったことを「なかった」と説明できるか【目次】

悪魔の証明

プロローグ

†やってません

平成の終わり頃から令和にかけて、当時の安倍総理大臣が国会で追及される姿がよく見受けられた。大阪で小学校を作り、オープンしようとしていた森友学園の籠池理事長夫妻に「違法な便宜を図っていたのでは」という疑惑と、愛媛県に獣医学系大学を新設しようとしていた岡山理科大学の加計《かけ》理事長から、「認可をよろしくと頼まれたのではないか」とする疑惑についてであった。世間では、森友、加計両氏の名前をもじって、「モリカケ」問題というおいしそうな名称で呼んでいたので、覚えておられる方は少なくないだろう。

野党の質問者たちは、こぞって「便宜を図ってないなら証明せよ」とか、「ゴルフ場で話が出たに決まっている、違うなら証明せよ」などと迫っていた。このように「やっていないこと」を証明するのは難しく、確固たるアリバイのあるケースなどを例外として、証明など不可能とも言われてきた。

この種の追及に対し、安倍首相が使った返答に次のような文言があった。「やっていないということを証明するのは、俗に『悪魔の証明』と呼ばれるわけでして……」と。つまり何かをやったという証明（ポジティブ・プルーフ）は、証拠や証言を吟味する方法論が確立されており、世間一般で実際に行われているが、「何かをやっていないという証明（ネガティブ・プルーフ）は、かなりの困難を伴うか、事実上不可能だ」という意味だ。

†悪魔の証明

辞書による定義と解説を見てみよう。『実用日本語表現辞典』を含む多くの辞書を引用できるオンライン・サイト「weblio」によると、「悪魔の証明」は次のように書かれている。

> 悪魔の証明とは、「《この世には悪魔など存在しない》と主張するのなら、それを証明してみせろ」と迫ることである。要するに、「証明が到底不可能な事柄」のこと、および、そのような証明不可能な事柄について「証明しろ」と迫る態度や言動のことである。（中略）その語源はラテン語の probatio diabolica である。中世に使われだした概念とされる。（「weblio」より）

のちにこの概念は、土地所有権の帰属を証明すること（の困難さ）を表現する法律用語として、ヨーロッパで定着したようである。法律との関連で特に重要となるのが「挙証責任」という、「どちら（誰）に証拠提示の義務があるのか」という考え方である。本書では、第Ⅰ章と第Ⅱ章でその点を詳しく述べるつもりである。

†挙証責任と説明責任

先取りして簡単に解説を加えるなら、刑事審判においては挙証責任は検察側——つまり訴追する側——にある。訴えられた被告が「やっていない」ことを示す必要はなく、訴追側が動機や方法などにつき、証拠も含めて一〇〇％クロだという証明をしなくてはならない。これは第Ⅰ章で扱う。

ところが、民事裁判などにおける挙証責任は、少々ニュアンスが異なる。最初に提訴する側は、ある程度の証拠らしきものを添えて自分の主張を展開することになるが、それは一〇〇％の物的証拠でなくともありうる。訴えられた側は自分なりの主張を（あるなら証拠を添えて）行う。ここでは完全な挙証ではなく、自分たちの主張とその補強であり、わかりやすく言えば「説明責任」の問題となる。説明責任は挙証責任より弱いものであるが、そのぶん範囲が広く、どちらが裁判官の合理的判断に照らして「もっともな主張」であるかを争うことになる。時として、白黒をつけられないことも起こりうる。

「挙証」とは証拠を提示することをさすが、「なぜ（動機）」やったかという点は、「ストーリィ展開」部分であり、いわば全体の流れの説明にすぎない。刑事裁判における「立証責任」とはつまり、挙証責任と説明責任を合体させたものと考えられたい。

このような差が生まれるのは、刑事審判が「国 vs. 個人（グループ）」の形をとるのに対し、民事は一応「私人 vs. 私人」の形をとることによる。前者は力（パワー）に差があるため、強者側にハンディがあるようなものだ。

本書の議論における「悪魔の証明」とは、自分がそれを「やっていない」とか、「会ってない」とか、「（そんなこと）言ってません」という証明である。つまりネガティブ・プルーフとは、ポジティブ・プルーフのコインの裏面にあたるが、似た物のように見えて、両者の本質は大きく異なる。何かをやった、言った、誰それと会ったというポジティブ・プルーフは、証明が比較的簡単で、証拠も確定しやすいのに較べ、ネガティブ・プルーフは（できたとしても）証明に苦労するのである。

本書は、その「ネガティブ・プルーフがどんな状況で可能となるのか（あるいは十分証明できたと認定されるのか）」、そして「その方法論とはどんなものか」、といった内容を考えるのが第一の目的である。それに付随して、前提となる知識や周辺関連事項にも、かなりの紙幅を割くことになろう。

†ポジティブ・プルーフ

実際に「あったこと」を証明するのは、比較的楽だと述べた。しかし実際にやってみようとすると、何をもって「あったこと」と決定できるのか。誰かが血のついたナイフを持って立っており、そばに死体があったとして、それで「お前が殺した」と決めつけていいのだろうか。もしナイフを持っている人が「私はやっていません」と言ったらどうなるのか。このように「（起こった）事実を決定する」ことすら、けっこう難しい問題であるということを、まず第Ⅰ章で詳しく説明する。

物的証拠は、「あったこと」を確定する最も基本的なもので、これがあればポジティブ・プルーフは順調にスタートできる。しかし物的証拠を確認できても「保存できていない」こともありうる。保存されていても、「すりかえられていない」保証も確認されなくてはならない。さらに物的証拠は間違いなく存在するのに、アクセスできないケースもある。

たとえば近隣の中国では、事故を起こした列車を埋めてしまったり、過去の特定の民主化運動事件（たとえば「天安門事件」）が、存在しないかのように偽装することもある。指導部に不都合な事件のキーワードは、ネットで検索ができなくなっていたり、海外メディアで報じられる映像だけがブラック・アウト（画面が黒くなる）されたりしていて、（その国の）若い世代では知らない人も増えているという。このように「証拠にアクセスできない」こともありうるのである。

†ポジティブとネガティブのリバース

ポジティブ・プルーフ（あったことをあったと証明する）とネガティブ・プルーフ（なかったことをなかったと証明する）は、どちらも何が事実であるかを追及する点で、共通点がある。ところが「世の中は、直球勝負だけで成り立っているわけではない」という事実は、社会で何年もの経験をしなくともわかる。

世の中には「あったことをなかった」、あるいは「なかったことをあった」と主張する――しかも方法論的には認められないやり方で論争を展開する――国や人々がいる。

特定国家が証拠を認めず、強弁によって隠蔽をしようとするなら、それはある程度までできる。他の国には明白な事実（バレバレ）であろうと、それによって生じた損害や名誉失墜に対する賠償は、国家間ではまず請求できないのが現状だと認めざるをえない。

たとえば日本に地理的に近い韓国は、「あったことをなかった」と言い、「なかったことをあった」と言うねじくれた習慣を持つ傾向があると考える人は多い。専門家が見たら、明々白々の「あった」事実であっても、「なかった」と言い続けることで、自国民や他国のよく知らない人々にとっては、「どっちかわからん」状況に持っていく。たとえば自衛艦にレーダーを照射してロックオンしたという疑惑が起こり、日本側が明白な証拠を示したとしても、「そちらの証拠は、我々のシステムと異なりますので、関知しません」などと平気で主張する。ならば「中立の第三国や国際司法裁判所などで白黒つけましょう」と言っても、相手が受けなければそれで終わりという世界なのである。

この韓国は、「なかったことをあった」と主張することも多い。「肩がふれて骨が折れた（治療費出さんかい、コラ）」と主張するヤクザの如く、存在しなかったうらみつらみをネタに、非難やおかしな要求をくり返す悪いくせがあるようだ。

かように「あったことをあった」、もしくは「なかったことをなかった」と証明すること以外に、少々ねじくれたプルーフも存在することは知っておいてほしい。この種の事例を証明する方法論は少々難しいが、本編でも適宜触れることになる。単にあったこと、なかったことをストレートに証明する方が「比較的楽だ」というにすぎない。「あったことをなかった」と言うケースと、「なかったことをあった」と言うケースを比べると、これは明らかに前者が多い。「なかったことをあった」というのは、ある意味「冤罪《えんざい》の押し付け（誣告《ぶこく》）」であるから、目的的に悪意のある非難が中心である。そんな下品なことは普通は（いくつかの例外はあるにせよ）考えにくい。しかし「あったことをなかった」というのは、仕事を増やしたくない人々にはよく見られることである。

†「なかったことにしよう」とする人々

平成一七〜一八年、小五の時、いじめを受けていた男性がいる。損害賠償を求めた一審も二審も、「原告に対する暴力はいじめ行為にあたる」、「子供ら同士のふざけあいの類ではなく、いじめと評価すべきだったことは明らか」（産経新聞、二〇二〇年二月一四日）と判示し、二審の判決も同様に確定した事案である。

神戸市教育委員会からは、結論として（確定した裁判があるにも拘《かかわ》らず）「いじめ・恐喝の事実があったかなかったか断定できない」との文書が提出され、それが今も放置され、この結論は継続している。被害を受けた男性は過去一五年間にわたり、神戸市教育委員会による「断定できない」状態が変更されないことに憤りを感じている、という記事である。市教委が関係者の聞き取りを行ったのは、いじめの報告から六年後で、その一回のみの聞き取りの結論が「断定できない」ということだそうだ。この男性が同級生から脅し取られた金額は五〇万円にもなり、さらに万引きを強要されたということも認定されている。

神戸市教育委員会は、平成二八年一〇月に自殺した、市立中三年の女子生徒についても、「（現場が）いじめ内容を記した調査メモを隠蔽していた」ことを認めている。早い話が「なかったことにしよう」という態度が常態化しているのだろう。「あったこと」でも「なかったこと」にして、何もやりたがらない――一種の責任逃れをする――ことは、お役所仕事の得意ワザのひとつである。二〇一九年にこの市で発覚した教員間のパワハラ（いじめ）も、動画――イヤがる者に、無理やり激辛カレーを食べさせる――がメディアにとり上げられてやっと処分を発動した。報道されていなかったなら、今だにウヤムヤだった可能性が高い。

これはおそらく日本だけに限った現象ではない。世界中のお役所でも（あるいはお役所以外でも）類似のことが起こっていると考える方が正しいのだろう。たとえば国連の人権理事会に関する次のような記事があったので紹介しておこう。

国連自体の人権意識にも問題はある。発生から三〇年を迎えた中国の天安門事件に関し、ドゥジャリク事務総長報道官は「特にコメントはない」と述べた。最大級の人権問題に沈黙する組織に、どんな価値があるというのだろう。（産経新聞、二〇一九年六月七日「主張」欄）

国連の機関も個人も、特定の国からの「アメとムチ」により、本音を言いづらい状況に陥っている者はかなりいるものと思われる。このドゥジャリク氏の背景は知らないが、現役の人権委員会報道官として、天安門事件を（人権問題として）「特にコメントはない」と言わしめる（我々の知らない国際政治の）力学とはいかなるものか、少々恐ろしくなる。

天安門事件をなかったことにしたい国はもちろん中国であるが、その国は「アメとムチの使い分け」の上手い国として知られている。ポジティブで確実な証拠はないが、それでいて「誰もが真実と知っている」手段のひとつである。新型コロナの対応をしたＷＨＯ代表たちの、中国寄りの言動は記憶に新しい。

日本の役所や他の公的機関（およびいくつかの私的機関）が、事勿《ことなか》れ主義により、ある事象を「なかったことにしよう」と考える風潮は、限られた年度計画（予算）以外のことはやりたくないからである。ある重要な関連事項が起こっていても、それを見て見ぬふりをすることで、「知りませんでした」、「気づきませんでした」という言い訳ができるからであろう。

†ギャンブル依存症の例

筆者が実際に経験した例をひとつだけ紹介しよう。厚生労働省による、いわゆる「ギャンブル依存症」のデータに関する対応である。

厚労省は（そしてその下でいろいろな委員会のメンバーをしていた精神科医たちは）、世の中にはギャンブルをやめることができず、本人もしくは家族（あるいは周囲の人々）に多大な困難を引き起こしている者が、少なからず存在することに早くから気がついていたはずだ。海外のジャーナルには、多くの関連論文が掲載されているのは周知の事実で、おそらく一九八〇年代には（少なくとも精神科医の間では）明らかになっていただろう。中でも日本国内で「パチンコにハマっている人々」が多いことは明白な事実だった。しかし警告を出すことはおろか、実態調査すらしようとはしなかった理由は、おそらく知らないふりをしたかっただけだと考えられる。

このように「統計値さえなければ、その事象が存在しないふりができる」と考えている人々がいる。少なくとも「知りませんでした」と言える。たとえばＤＶ（ドメスティック・バイオレンス）や児童虐待は、かつては社会問題として存在しなかった。それは「統計値がなかった」という簡単な理由による。最近では、ＤＶや児童虐待の件数は毎年伸び続けているが、それは暴力的な人間（夫として父として）が増えたわけではなく、被害者や周囲の人間が「犯罪的行為であることに気がつき、かつ通報する（相談する）ホットラインなどが整備された」ことが（増加の）主原因のはずだ。むろん暴力行為自体が（コロナ禍など別の要因によって）増えている可能性もあるのはその通りとしても。

ギャンブル依存症についてもそれは同様で、それまでパチンコをやめられないのは病気だとは思っていなかった人が大半。たまに気づいても、どこに相談すべきかわからない時代が長く続いていた。昨今やっとのことで、「ギャンブルをやめられないのは病気である」ことに気づき、そして相談のホットラインや医療機関の存在が広く知られるようになった。あたりまえであるが、統計上の数値は増加する。

余談だが、アメリカなどでカジノをオープンした地域で、ギャンブル依存症の統計値が急増する報告をもって、「それ見たことか、（カジノなど作るから）ギャンブル依存症が増えただろう」などと嘯《うそぶ》くカジノ反対論者がいるが、冷静に考えて正しい反論ではない。カジノには相談窓口もあるし、場内に掲示されたホットラインもあり、統計値の増加は当然起こる。逆に言えば、「今まで相談できなかった人が、治療やアドバイスを受けられるようになった」と考える方が、現実を表しているものと考えられる。

これら施策の結果、依存症患者は実際（長期的には）には、人口比で減少傾向にあることが報告されている。たとえば二〇一一年にカジノがスタートしたシンガポールでは、カジノ・オープン前には三％程度いた患者が、二〇一七年時点で〇・二％にまで減っている。他の都市でも、のきなみ減少傾向にあるのが実態なのである。ＤＶでも児童虐待でも、助かる人々が増える（つまり統計値が上昇する）のは、「救われる人が増えること」なのだと考えるのが正しいと信じる。

厚労省は、ギャンブル依存症の問題が浮上し、見て見ぬふりができなくなり始めた頃、

「どうせやるなら我々が予算も獲得すべきだ」と考えたフシがある。自分たちの（専門家からは問題の多い）調査で、人さわがせな五八〇万人とか五三六万人といった、トンデモない数の「予備軍を含む患者推定数」を発表し（筆者の考えでは「生み出し」）、現実に治療施設や研究グループの予算を得た。そして筆者や他の研究者（海外からの請求も含める）からの元データ開示請求は、すべてのらりくらりとかわし、結果としてデータは出さなかったのである。

ひとつだけ最後につけ加えておくと、「ギャンブル依存症」も「パチンコ依存症」も筆者が九〇年代に作った言葉で、精神科医は使わないことがほとんどである。今では法律の名称にまで使用されている。

†本書で使用する例

悪魔の証明を解説していくにあたって、わかりやすい例を二種類使用することにした。その二種類とは、「聖書の記述」と「犯罪の立証」である。

前者はおとぎ話的な「フィクションとノンフィクションの境界線上に位置する話」の代表例である。多くの人々が知っており、多くの人々がノンフィクションだと信じており

フィクション⇔ノンフィクション（歴史）	現実の日本社会
聖書 仮説と蓋然性の世界	犯罪 厳格な事実認定プロセス

（アメリカでは約四割がノンフィクションと考えている）、かつ社会に与える影響も大きいことから、あえて聖書を題材として選択することにした。

たとえばイエス・キリストはベツレヘムで生まれたとの記述がある。別の説では、イエスはナザレで生まれているとある。一方が正しければ他方は正しくない（つまりどちらかは「なかった」）わけだ。どちらが本当なのかを決める決め手は何か、というように実例によって話を進める方がわかりやすいのである。聖書といっても、旧約聖書もあるし新約聖書もある。例としては、どちらからも引用することになろう。悪魔の証明自体、もともと「悪魔が存在しない」と主張するなら証明せよという、世の中の悪を悪魔のせいにしてきたキリスト教の教義に関連したものがスタートでもある。

後者、つまり犯罪の立証の世界は、現実社会における「最も厳格な事実認定プロセス」のひとつである。天安門事件なら「証拠はあるのか」とつっぱねられることもあるだろうが、日本国内の犯罪の立証ならある程度まともだと期待してよいレベル（?）だ。「あったこと」、「なかったこと」を高度なレベルで立証することは、おとぎ話的な「あったかなかったか」という話とは、次元の異なる話なのである。自然科学と異なり、再現性に乏しい社会事象の立証プロセスを議論するには、「犯罪」が適した例だと考えたのである。まとめるなら、使用する例示は前ページの二種類である。

なお本文中は敬称略とする。年号はなるべく西暦（グレゴリオ暦）を使用し、本文中に書名を記せなかった参考文献は最後にまとめておく。

I

犯罪を証明する手続き

――「あったことを証明する」ことすら簡単ではない

「あったことをあった」と証明すること（ポジティブ・プルーフ）を、日常的に行っている仕事がある。すぐに思いつくのは、警察・検察などの司法行政に携わる世界であろう。ある者の行為を犯罪と決定し、刑罰を科すまでには、手続き論的に厳格に決められたプロセスを経る必要があり、それは一般的に考えられているような単純なものではない。本章はポジティブ・プルーフの証明の中でも最も厳格な内容が求められるもののひとつ、「犯罪立証プロセス」を中心に話を進めよう。

†犯罪の成立――犯罪成立三要件

犯罪が認知され、捜査（証拠保存）、起訴などを経て有罪が決定すると、「犯罪」が成立する。そして一定の刑罰が言い渡されることになる。しかしながら「犯罪とは何ぞや」、という質問に的確に答えられる人は少数派で、「刑法に違反した行為をやったこと」などと考えるのがせいぜい。この解答自体は、ある程度まで正しいのは確かであるが、もう少し詳しく（そして正しく）考える必要がある。

刑事法学の初期段階で学ぶことは、起訴や裁判以前に、「犯罪が成立する三要件」が存在するということである。その三要件が揃って成立しないことには、そもそも犯罪事案と

1 構成要件該当性
2 違法性
3 有責性

が3つとも同時に存在すること。

は捉えられない。

その三要件は、上の三つである（もう知っている人は、とばして下さい）。

†構成要件該当性

構成要件とは、「明文で禁止された行為類型」のことをさす。つまり最初の条件「構成要件該当性」とは、明文で禁止された行為類型を実際に行った――つまり法に違反した――ということである。何のことはない、「刑法の条文に違反する行為を行った」ということで、一般的に犯罪と考えられる行為があったということだ。

「刑法」という法律は第二六四条まであり、前段部の第七二条までは、「総則」として具体的な行為類型が書かれているわけではない。また残りの条文に関しても、削除されたものがいくつか（たとえば刑法第二〇〇条「尊属殺人」の条項）あるが、逆に「第〇条の（二）」などと、のちに加えられたものもある。刑法犯は通常、「一般刑法犯」と「交通関連犯罪」に分けられるが、単に統計上の分類を見やすくするためにすぎないので、この分類を気にする必要はない。

いわゆる「刑法」という法律に加えて、一〇種の「(刑法)特別法犯」と呼ばれる行為に関する法律があり、これらも刑法の規定(禁止)する行為類型(構成要件)に含まれる。「ハイジャック」のように、刑法が作られた時点(明治期後半)で存在しなかった(あるいはその時代では悪いと考えられなかった)行為類型が中心である。日本は一度できた法律――特に人権を制限する法律――は、改正に手間と暇がかかる(もしくはほぼ不可能)。そのため、このように特別法の枠で実質上の変更を行うことがある。なお刑法で言う「交通関連犯罪」とは、道路交通法――ややこしいことに、これも特別法犯と呼ぶが、先ほどの(狭義の)特別法犯とは別――や、その他の行政刑法に違反する行為ではなく、ひき逃げや危険運転などの(一般に)より重いとされる行為をさす。スピード違反や駐禁違反は、行政刑法により反則金(「行政罰」と呼ばれ、刑罰ではない)が課されるだけで、定義上は犯罪ではない。ただし反則金を納めたくない(主張したい点がある)時など、裁判で争う権利はある。

全部を覚える必要はないが、構成要件該当性とは「「刑法」と「特別刑法」で規定(禁止)された行為類型に相当する行為にあたると認められること」と考えて、まず間違いない。なお刑法犯の三分の二は窃盗関連。そのうちの大半は万引きや自転車盗が占める。

†違法性

構成要件に該当する行為であっても、「刑罰の対象となりえないもの」が存在する。たとえば次のいくつかの行為を考えてみよう。

(a)ボクシングで相手を殴ったら出血させてしまった。
(b)医者が外科手術で、鋭利な刃物(メス)を患者の腹に刺した。
(c)痴漢を見つけ、その者を取り押さえ、(抵抗するので)殴ってしばりつけた。
(d)死刑執行人がボタンを押した。
(e)領空を侵犯した戦闘機が攻撃してきたので、ミサイルで撃墜した。

いずれも刑法上は構成要件に該当する行為——(a)と(b)は暴行や傷害、(c)は暴行・監禁、(d)と(e)は殺人——などに、「類型上は」相当する。しかしこれらを犯罪と考える人はたぶんいないだろう。その主たる理由は「別に悪いこととは思えない」からである。つまり「違法性が感じられない」ということだ。

刑法上、構成要件に該当する行為でも、「違法性がない(少ない)」という理由で犯罪に

第35条 法令による行為・正当業務行為
第36条 正当防衛
第37条 緊急避難

ならない（もしくは減刑とする）要件（「違法性阻却《そきやく》事由」と呼ぶ）は定まっている。それらを規定するのは、上の三条項である（条文は省略）。

第三五条は、「正当行為」による違法阻却で、医者の医療上必要な行為(b)などがその明らかな例である。死刑執行人の行為(d)や、戦闘中の自衛隊員の反撃(e)も、職務上の行為であるから違法性はない。おもしろいのは、ボクシングのようにスポーツ上の反復的行為(a)も、業務上の行為とみなされる点であろう。ルール上の反則であろうと、そのスポーツが予定する行為の範疇であるなら、その競技上のペナルティとなることはあっても、刑法上の違法な行為とはならない。ただし日本大学で実際あったように、アメフトのプレイが終わったかなりあとで、いきなりタックルするような行為は、そのスポーツが予定する行為の範疇からは外れる可能性が高い。かりに起訴されて公判に付されていたなら、有罪になった可能性が高いということである。

これらの例のほかにも、消防士が消火活動中に窓を割ったり、警察が犯人を射殺したりする行為など、職務上必要と考えられる行為は、通常正当行為とみなされる。

正当防衛（第三六条）は比較的よく知られているだろう。先ほどの自衛隊機による他機の撃墜行為は第三五条の正当行為が成立すると述べたが、それ以外に、第三六条の正当防衛にも該当する。相手が攻撃していて、「やらないとやられる」からである。

通常は侵害されようとしている法益――たとえば自衛隊機の例なら、自分の命とジェット機、および日本の防衛ラインの確保――と同等かそれ以下の範囲でなら、相手方の法益を侵害しても正当防衛として違法性を阻却できる。たとえば、相手が素手で殴りかかってきたケースでは、ケガはしても命まで危険になっているとは考えにくいため、相手の命まで奪うような防衛・反撃――たとえばピストルで応射――は正当の範囲を超える可能性が高い。正当の範囲を超えたケースは、「過剰防衛」と呼ばれ、無罪にはならないにしても、ある程度減刑されるだろう。素手に対する武器の使用も、状況によっては過剰でないとされることもある。たとえば「止まらんと撃つぞ」と言っても警官に殴りかかったとしよう。警察官が身の危険を感じる状況で、足元を狙って発砲したが当たり所が悪く死亡したようなケースは、過剰とはみなされない可能性がある。

法益は、通常は身体機能（生命）を最上位とするが、腕一本と一〇〇億円の価値のある建物と、どちらが高いレベルの法益かということは決められていない（決められない）。法益の価値決定には、ある程度まで主観的価値は考慮される。この話は一致した見解がなく、こみ入った議論になるのでやめておく。

なお(c)は刑事訴訟法（第二一三条）上の「現行犯逮捕（市民逮捕）」と呼ばれ、不法な監禁ではない。すべての人に許された行為で、これも正当行為の一種である。抵抗したら、取り押さえるために殴ったりしても（ある程度）許される。

第三七条の「緊急避難」は、ある者が緊急の危険から逃れるために、図らずも他人の法益を侵害してしまうことをさす。法益の考え方は正当防衛と同様である。猛犬から逃れるため、他人の家の庭にフェンスを越えて入り、花壇を踏み荒らしてしまったケースのように、危機にさらされた法益（身体の危険）より、侵害した他人の法益の価値（花やプライヴァシーなど）が小さい（か同等）と考えられるケースは、緊急避難として認められる。他人の法益の侵害レベルが、自分のものを超えるケースは、「過剰避難」とされる。

よく引用される例は、船が沈み、自分が溺れかけている時、「一人しか支えられない板切れにつかまった他人から、その板切れを奪ってよいか」という問いである。刑法学上の答えは、たとえその他人が溺れ死んでも、自分が助かるために板切れを奪っても、違法性は阻却される、という考え方だ（民事上の問題は生じるかも）。

以上、第三五条、三六条、三七条が「違法性阻却事由」に関する条項であり、違法性とはつまり、「非難できるか否か」という観点と考えてよいだろう。構成要件に該当しても違法でない場合は、犯罪成立三条件が満たされないため、犯罪とはなりえない。

†有責性

犯罪成立三条件の最後は「有責性」つまり責任能力の存否《そんぴ》である。構成要件に該当する行為が違法性阻却のない状況でなされたとしても、「その本人が責任を問えない状況なら犯罪とはならない」ということを表している。具体的には、刑法第三九条から第四一条までがそれに関係する条項である（条文は省略）。

「心神喪失《しんしんそうしつ》」とは、善悪の判断がまったくできない状況。「心神耗弱《しんしんこうじゃく》」はその程度が少し軽く、善悪の判断は「（ある程度）できないかもしれない」という状況である。後者は犯罪を成立させうるが、法律上明文により減刑される。

たとえば、知能指数レベルが極端に低い者は、心神喪失者と認められるだろうが、通常より少し低い程度では、いくばくかの減刑に留まるかもしれないということである。薬物や酒によって酩酊状態などに陥り、善悪の判断が不能な状況で犯した行為も、似たような話となる。ただし「酒を飲むと暴れる」可能

第39条 心神喪失《しんしんそうしつ》・心神耗弱《しんしんこうじゃく》
第40条 瘖唖者《いんあしや》
第41条 未成年者

性が、（過去の経験で）事前にわかっていてあえて酒を飲んだようなケースは、心神喪失や心神耗弱と認められないかもしれない（「原因において自由な行為」という理論による）。

瘖唖者《いんあしゃ》も未成年も、（その内容によっては）若干の責任が認められるだろう。たとえば一四歳未満の行為は定義的に犯罪を成立させることはないが、未成年でも一六歳以上なら、犯罪行為執行可能と認定され、処罰されることもありうる。なお一八歳以上であれば、未成年でも死刑を執行されることがある（実際にあった）。

裁判でよく使われる弁護手段は、「犯行当時、善悪の判断がつきにくい状態でした（心神耗弱状態でした）」という主張。認められると少なくとも減刑されるからである。

†裁判のルール

「オレがやったという証拠はどこにあるんじゃあ」というのはテレビで犯人らしき人間がよく言うセリフ。この「証拠の提示」が、またややこしい。

起訴（刑事訴訟）は検察官が行う決まりであるが、起訴状には通常「五つのWと一つのH」と呼ばれるもの――つまりWhat（何が起こったか）、Who（誰がやったか）、When（いつ）、Where（どこで）、Why（なぜ）、そしてHow（どんな風に）という事件の内容――が

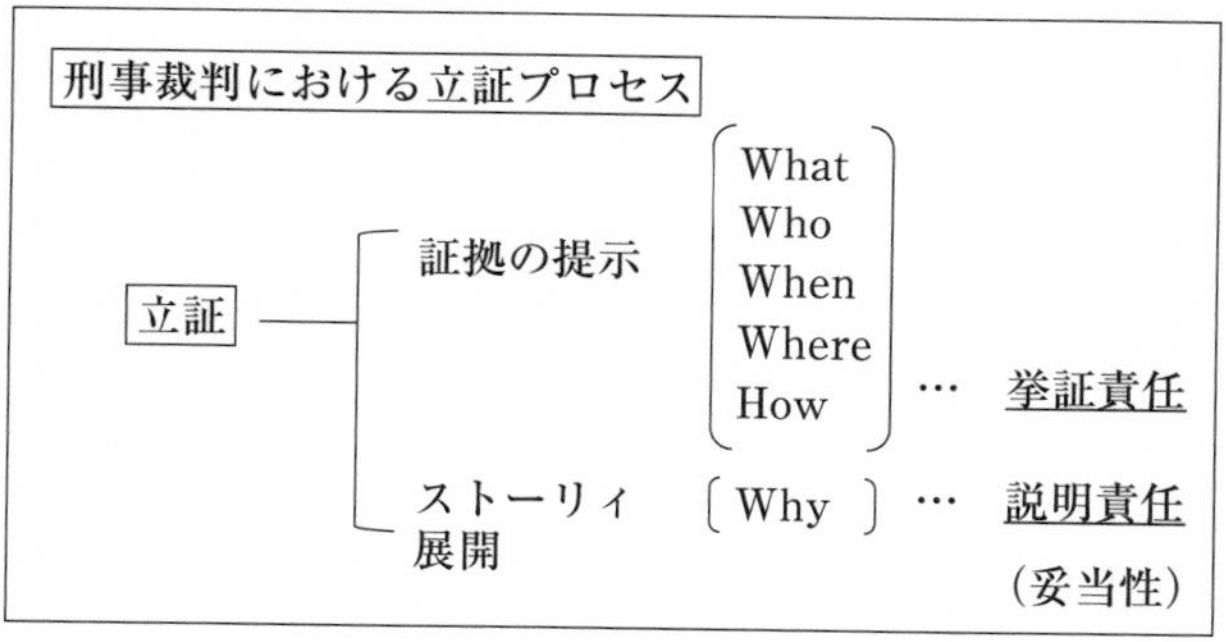

まず書かれていなくてはならない。しかもそれらを証明（もしくは補強・示唆）する証拠（もしくは証拠に準ずるもの）も、検察側から提出されることが必要である。証拠調べ自体は、多くは警察の担当で、そこから調べた結果が検察に送られてくるのが普通だ。昨今は動機（Why）のよくわからない犯罪も増加しているため、「なぜ」についてはある程度の推定でも良いとされているし、事案によっては（他の証拠の状況次第で）一部不明点があってもよい。

　さてここからが重要なことであるが、**刑事裁判においては「検察側にのみ立証責任がある」**という事実を忘れないでもらいたい。弁護側は、検察側の用意した証拠が「一〇〇％確実と言えるレベルに達していない」ことを指摘するだけで、犯罪の立証は却下される（ことになっている）。つまり弁護側は「一％（でも）別の可能性がある」と指摘できれば、検察の立証への反証とできるわけである。この「立証」は本書の「挙証」と「説明」を合わせた概念と考えてもらいたい。

裁判官とは、検察側の提示した起訴内容（証拠など）が、「一〇〇%レベルに達しているか否か」のレフェリー役である。もし弁護側の理屈が（たとえ聞くに堪えん屁理屈であろうと）一〇〇%レベルに疑義をもたせるものであると判断したら、レフェリーたる裁判官は弁護側を勝利者とする。つまり「無罪評決」である。

アメリカの陪審員（日本での裁判員制度に近い）制度では、「一二人の評決が一致する」まで評決はできない。ここでは、一二人の一般人が「一致して一〇〇%レベル」と判断するか、もしくは一致して「一〇〇%に達しない」と判断するかが問われており、別の言い方をするなら、検察は一二人の一般人代表が全員納得する証拠を提示できるか、ということであると考えてもよい。

弁護側は「被告がやっていない」ことを証明する必要はカケラもない。よく「やってないなら答えられるはずだ。その時間、どこに居たのか」などと尋問するシーンがあるが、「そんなことは言うつもりありません（アンタが証明することでしょ）」とつっぱねてもよい。

†適正手続および罪刑法定主義

なぜこれほど厳格に（検察側に不利に）ルールが決められているのか。それは「刑事裁判が、国家権力 vs. 個人（もしくはそれに類するもの）」だから、というのがこたえ。警察による捜査権も含めて、国家側は権限も人材も資金も豊富にある。それに比べて被告側は、か弱い（とは限らないが一応使えるリソースや手段に限界がある）個人であるがゆえに、国家側は被告の有罪を反論なきレベルまで証明する義務があるわけである。

憲法上もその点を強調するために、いくつも条文でそれを確認している。たとえば次に挙げる条文であるが、これらですべてではない。

憲法一八条　何人も、いかなる奴隷的拘束も受けない。又、犯罪に因る処罰の場合を除いては、その意に反する苦役に服させられない。

三一条　何人も、法律の定める手続によらなければ、その生命若しくは自由を奪はれ、又はその他の刑罰を科せられない。

三二条　何人も、裁判所において裁判を受ける権利を奪はれない。

三三条　何人も、現行犯として逮捕される場合を除いては、権限を有する司法官憲が発し、且つ理由となつてゐる犯罪を明示する令状によらなければ、逮捕されない。

三四条　何人も、理由を直ちに告げられ、且つ、直ちに弁護人に依頼する権利を与へられなければ、抑留又は拘禁されない。又、何人も、正当な理由がなければ、拘禁されず、要求があれば、その理由は、直ちに本人及びその弁護人の出席する公開の法廷で示されなければならない。

三六条　公務員による拷問及び残虐な刑罰は、絶対にこれを禁ずる。

三七条　①すべて刑事事件においては、被告人は、公平な裁判所の迅速な公開裁判を受ける権利を有する。

②刑事被告人は、すべての証人に対して審問する機会を充分に与へられ、又、公費で自己のために強制的手続により証人を求める権利を有する。

③刑事被告人は、いかなる場合にも、資格を有する弁護人を依頼することができる。被告人が自らこれを依頼することができないときは、国でこれを附する。

三九条　何人も、実行の時に適法であつた行為又は既に無罪とされた行為については、刑事上の責任を問はれない。又、同一の犯罪について、重ねて刑事上の責任を問はれない。

この憲法の精神――刑事司法プロセスは厳格に決められ、被告の不利にならないように気をつける精神――は、「適正手続（デュー・プロセス）」と呼ばれ、近代国家にはなくてはならないものとされる。デュー・プロセスを守るためのこうした手続きのうち、明文で行為類型と刑の内容・範囲が決められることを「罪刑法定主義」と呼び、特に三一条はその中核である。

ご存じのように憲法は最上位の法規定であり、憲法と矛盾する下部法規は存在を許されない。刑法も刑事訴訟法も、はたまたいくつかの特別法規も、もし憲法に違反すると判断されたなら、内容を変更するか削除されなくてはならない。

†憲法と刑法の哲学

さてここでクイズをひとつ。「刑法は（一義的に）誰に対して書かれた法規でしょうか」。

この質問は、これまでの議論と深く関係があるので、皆さんはもうすでに答えられるはず。こたえは、刑法は一義的には、「警察・検察を含む司法行政官に対する命令」である。一般大衆にこれこれの行為をしてはいけませんよ、という刑法の規範的命令は、実は「二義的な」ものにすぎない。これは実際に刑法（各論）の条文を読めば明らかである。例として窃盗罪の規定を見ていただこう。

第二三五条（窃盗）：他人の財物を窃取した者は、窃盗の罪とし、十年以下の懲役又は五十万円以下の罰金に処する。

よく読めば「人の物を盗んではいけません」とは書いていない。単に「人の物を盗んだら、懲役一〇年以下の刑罰ですよ」と書かれているにすぎない。むろん刑罰の予告があるのであるから禁止を匂わせているのは間違いない。しかしこの条文は、一般人よりむしろ国家側を縛っていることに気づかれることだろう。「窃盗行為には（その行為自体には）一〇年以上の懲役を科してはなりません」よ、と。

あえて言うまでもないが、まずは有罪を証明しなくては、刑罰（求刑）もへったくれもない。その証明プロセスにおいては、適正手続が守られていなければならない。適正手続によらず集められた証拠は、裁判所では採用してはならない。これがルールなのである。

たとえばO・J・シンプソンというアメリカン・フットボールの元人気選手が、ロサンジェルスの自宅で妻を殺したか否か、という刑事裁判があった。その事件の捜査時に、ある警察官が庭に血のついたナイフが落ちているのを発見したが、そのナイフや血のDNA鑑定結果は証拠採用されなかった。なぜなら、「令状なく庭に入ったことが適正手続に違反する」などと、「適正でないプロセスがあった」と考えられた結果である。結果としてO・J・シンプソンは、（少なくとも刑事審判では）無罪となった。捜査のプロセスも裁判も、国側の手足のみを縛っているのだが、それは一〇〇人の有罪者を世に放つ結果となろうと、無実の一人に刑罰が与えられないようにするためである。そしてそれが近代国家における、憲法と刑法の基本哲学なのである。

†あったことの証明

刑事事件立証の起訴状には、5W1H（What, Who, When, Where, Why, How）が求められると述べた（例外として「with whom［共犯者］」などもある）。刑事審判における証明は、ポジティブ・プルーフの中でもおそらく最も厳格なレベルである。

一般的な事実の解明レベルであれば、それほど多くのことは要求されない。刑事司法上の証明が一〇〇%とするなら、実社会での一般的事象の証明レベルは、まずもって九〇%程度で充分事足りるだろう。ただし今は、「あったことの証明」だけを対象として話をしていることに注意せられたい。

・物的証拠

縮めて「物証」と呼ばれることもある「物的証拠」は、証拠能力の高いものである。刑事事件では、証拠収集方法や保存に至るまでルールが決められているが、一般的には(少々アヤシゲなものでも)証拠は証拠。マスコミなどがよくやる手段であるが、不法に手に入れたものでも(たとえば、盗み撮りした映像でも)何でもアリと考えてよい。

最近は監視カメラが多くあり、それらの映像は動かぬ証拠のひとつと考えられる。ドライブ・レコーダーやスマホの映像、あるいは忍ばせた録音機など、テクノロジー製品を活用した証拠は、これまでの社会に存在しなかったものだ。テクノロジーの進歩は、(別に恥ずかしいことをするつもりはないので)個人的にはありがたいものであるが、音声や映像を加工したり、捏造したりするヘンな輩がいて、「フェイク」物には気をつける必要があろう。

他に凶器に付着したもののＤＮＡ鑑定や、炭素同位体による年代測定、医者の解剖報告書など、証拠能力の高いものはいくらでもある。ただし報告書をいいかげんに作る人間もいる（実際にいた）ので、それらの信憑性には気をつけなければならない。

・証言
宣誓した上での証言は、刑事審判において証拠採用できる。ただし、反対尋問して質問点や矛盾点などを探す機会の付与は、弁護側に与えられた（侵してはならない）権利である。これは自分に有利となるならウソをつく人間も、世の中にはゴマンといるせいであろう。むろん偽証は罪になるが、証言拒否は状況により許されている。

裁判所における証言は、質的にまだましな部類であるが、一般的な事象に関する「本人たちの証言」なるものは不安定きわまりないものだ。

ひとつの理由は今述べたように、自分の利益やプライドのためか、ウソをつく人間が少なくない点だ。「従軍慰安婦」なる、当時存在していなかった言葉を生むきっかけとなった吉田清治なる人物は、若い女性を韓国内で（命令を受けて）さらってまわったという告白本まで出版した。のちに大ウソと判明し、それは本人も認めた。このような出版物も、証拠に近い証言の一種となりうることは言うまでもない。この事件では慰安婦側のウソの可能性も指摘されている。追及されて証言を変えたりしていることからも、この事実（ウソ）関係はすでに明白となっている。むろん全部がウソとは限らないにせよ。

SNSやブログ、ツイッターなどを利用してウソをつく人間もいる。ネット上のウソやデマは反論が難しく、拡散スピードが速いこともあって、大きな社会問題となりつつある。

加えて、証言の不安定さの二つめの理由として、「人の記憶は変化したり付加したりする」ことが、心理学者らの実験で明らかとなっていることが挙げられる。「やった」、「やってない」とか、「言った」、「言ってない」といった水掛け論的な口論の経験は、誰にでもあるだろう。どちらかがウソをついているケースもあるが、両者ともそれを信じているケースも多々あるそうだ（ローレンス・ライト、一九九九／イアン・ハッキング、一九九八）。そのケースでは、偽の記憶が生じている可能性が指摘されている。

お互いに影響を与えないことが担保された状況で、複数の同じ内容の証言がなされたケースは、ある程度信用してもいいだろう。しかし単独の、しかもかなり以前の記憶など、あてにならないものだと考えた方が無難である。たとえばあなたは、一昨日の晩ごはんのメニューをスラスラ言えるだろうか。よほど記憶に残る種類の機会やメニューでなければ、なかなか思い出せないものだ。べつにあなたがボケているわけではない。記憶とはそういうものなのである。証言は証拠の補強レベルにすぎないと考えた方がよい。

†オマエが言うな

余談であるがこれを執筆している二〇二〇年五月、検察官の定年延長を可能にする法改正案が提出され、審議され始めた。どう考えても組織化された（同じ文面の）ツイッターや投稿による反対が渦巻く中、「元検事総長らが反対　法改正案　法務省に意見書提出へ」という記事（日経新聞、二〇二〇年五月一五日）があった。意見書を提出し、「司法権の独立性の危機だ」とのたまっているのは、元検事総長の松尾邦弘とのことだ。「松尾氏はロッキード事件の捜査に当たった経歴があり、ロッキード事件の捜査に従事した元検事ら十数人が賛同する見通し」と報じられている。

ロッキード事件と言えば、元総理の田中角栄が有罪となった事件であるが、あの時の裁判において、反対尋問の許されない調書（コーチャン証言）が証拠採用されたことを忘れてはならない。あれこそ憲法の人権規定と精神を踏みにじる暴挙（第三七条②を再読のこと）で、日本の刑事裁判のデタラメさを世界に示した、とてもとても恥ずかしい出来事だった。その責任の一部を担っていた人間が「司法権独立性の危機」だと。よくのうのうと意見書を出せたものだ。むろんそんな調書を証拠採用した裁判官が一番悪いのであるが、勝手に免責を約束して作成した調書を、反対尋問できないことを知りながら提出した検察側とてほぼ同罪である。

別に筆者は、検察官の定年に関する法案に賛成も反対もするものではないが、「憲法の精神を土足で踏みにじった人間（オマエ）が言うな」と強く思うのである。「オマエが言うな」という抗弁は、刑事裁判レベルでは比較的少ないものであるが、民事や一般人どうしの争いにおいては、比較的よく見られるものだ。のちの章でもう少し詳しく考えてみることになる。

・動機

５Ｗ１Ｈの中でも説明責任に関する「動機（Why）」は、証明しづらい部分である。なぜその行為をしたのかわからない人は山ほどいる。わからない理由は簡単、そもそも犯人が何も考えないで行った行為も多いからである。

正直言って、動機が欠けているからといって、犯罪の起訴状が不充分だとは考えない方がよい。適切な動機は証拠を補強することはありうるが、動機がないこともあるからである。ただしこの「動機」という項目は、のちの議論——特になかったことを証明する方法論——に重要な要素となるため、あえてここで取り上げたのである。

†あったことをあったとする非難

あったことをあったと証明することすら、かくも困難なことである。本章は刑事裁判における証拠の確立を中心として、「あったことの証明すら、いかに大変なことか」を概観した。口にアンコをつけた子供が「おはぎを食べたのは僕じゃない」と言ったとして、「ばか言うんじゃないよ!」と親が叱るのはたやすい。しかし正式に非難するだけの証拠を提示し、刑罰を科すことは、別の次元の問題なのである。

刑事裁判は、証明レベルの最高峰にあると考えられるが、それは国の権力が個人を非難するという、元々のパワーの格差(ハンディ)があるからだ。逆に言えば、同列レベルでの非難合戦においては、それほど厳格な手続きが決められていないことになる。

国と国との非難、個人と個人の非難、あるいは公職のある者や大企業など、立場の違いでルールが変わるケースも（これから）登場することになる。つまり話はより複雑化することになるので気を引きしめておいてもらいたい。

Ⅱ

挙証責任

――立証の責任は誰にあるか

具体的な話に入る前に、本書で取り上げることになるすべての証明において「大前提となる重要な概念」を頭に入れておく必要がある。その概念とは「挙証責任」、つまり対立する立場の「どちら側に証拠提示（もしくはそれに準ずるもの）の責任があるか」ということだ。

相手を非難する側――多くの場合、相手方にある悪しき（非難されるべき）行為が「あった」と主張する側――が、証拠や証言など、非難の根拠を示すのが通例であるが、後で詳しく述べるように例外も少なくない。

人の行為を犯罪と証明し刑罰を科すためには、前章で述べたように、国側が多くのハードルをクリアしなくてはならなかった。ここで特に重要な点は、「証拠を提示する責任は、一〇〇％検察側にあった」ということ。すなわち犯罪が行われた「挙証責任」は被告側にはなく、原告側にのみ存在したという事実である。

プロローグで触れたモリカケ問題に対し、安倍首相が「悪魔の証明」と呼んだのは、あったことをあったか、なかったかという証明に対してではなかった。単になかったことを証明せよという追及だったが、「そりゃちょっと無理がすぎるんじゃないの」という意味で悪魔の証明という言い方をしたのであろう。

†非難する側が証拠を出すべし

モリカケ問題における国会の答弁は、「立法府vs.行政府」という形をとった議員どうしのやりとりである。言わば両者とも公的な身分を持ち、調査権を持つ権力者である。その意味では一般個人とは区別される。この点は重要なので、あえてくり返しておく。

議会においては裁判における審理と同様、発言は記録され、偽証（ウソ）は責任を追及されうる点で、少しばかり異次元の世界である。公的身分を持つか、記録されることを前提とした公の場で、発言する者が気をつけるべきルールがいくつかある。

まずもって、「個人や民間団体を非難するには、証拠が必要である」、という前提である。これは相手が公であろうが、私であろうが同じことであるが、私人を攻撃・非難する時は、ことさら気をつけなければならない。確固たる証拠なしに、公の場で私人を非難する者などいるはずがないと考える方は、次の記事を読んで、そして考えてみてほしい。

立憲民主党党首の枝野幸男氏は、二〇一八年五月の党首討論でモリカケ問題を取り上げ、「総理夫人が影響力を行使した。影響を与えていなかったという立証責任はそちら

にある」と発言していることが報じられていた。（産経新聞、二〇一八年五月三一日）

日本では公人の家族は公人という考え方をしない。兄弟であれ、配偶者であれ、注目を浴びる人であっても、あくまで個人として別だと考える。たとえば鳩山兄弟の兄が民主党で、弟が自民党ということは実際にあったが、兄が弟の言動の責任を持つことはなく、その逆もまたなかった。配偶者も同じで、首相夫人といえど立場上は単なる私人にすぎない。首相の息子も同様である。

ここで考えてほしいのは、野党党首（枝野幸男）の言葉、「総理夫人が影響力を行使した。影響を与えていなかったという立証責任はそちらにある」である。なぜか、どのメディアも評論家もコメンテイターも取り上げなかったのが不可解な発言であるが、この「立証責任はそちらにある」という言葉は、かなり「奇妙な」――わかりやすく正直に言えば「ムチャクチャな」――ものである。このムチャクチャさに気づいていないとすれば、議員もマスメディアも憲法のイロハをわかっていないとすら言える。

「あったこと」を証明することすら前章で見たようにかなり難しい。ましてや「なかったこと」を証明することがどれほど大変なことか、枝野氏にはわかっての発言なのだろうか。

そして公人が私人を証拠の提示なしに非難している事実に気づいているのだろうか。

国会は立法府であり、日本に必要な法案を議論する場である。なぜか昨今は国会が司法機関であるかのような様相を見せていて、疑惑の追及らしきものがやけに目立つ。そのくせ憲法に関する審議会は、何かとイチャモンをつけて話し合いすら拒否する。憲法を変えるべきか否かを話し合う場は、まずもって国会（およびその下部委員会）である。本当に安倍首相や周辺の人々に疑惑があり、それが許されない行為だと考えるなら、司法機関に告発すれば済む話である。

国家のリソースや手段を動員し、あったことを証明しようとしてもハードルは高い。ましてや（首相夫人といえど）個人／一般人に対し「ある行為がなかったことを証明せよ」と。しかも司法機関ではなく立法府で求められることの意味を、あの党首討論の文言から何人が考えたのだろう。はっきり言っておこう、あの枝野党首の発言は人権問題ですらある。私人にすぎない者を悪しき行為を行ったと非難するなら、その「挙証責任は追及する側にある」。いかにも首相夫人の言行が影響を与えたかのような前提で追及し、影響を与えていないなら立証せよとの物言いであったが、その前提「あったこと」を証明する証拠は出されていないし、吟味されていないからである。しかも立場は「議員と一般個人」と、差のあるものなのだ。そもそもどうすれば「影響を与えていない」証拠になりうるのか、枝野氏に是非お聞きしたいものだ。

挙証責任の所在は、非常に重要なスタート地点である。枝野党首は公人の立場の者が私人の追及を行うにあたって、本来自分にあるはずの挙証責任を私人に転嫁した。しかもそれは物理的にはほぼ不可能な「影響を与えていない（首相夫人という立場を利用していない）」という悪魔もびっくりする証明だったのである。

†隗《かい》より始めよ

もうひとつの（暗黙に近い）ルールは、「非難する内容やレベルのことを（自分で）できていない者が非難してはならない」ということである。むろん自分にはできないことでも、他人に「すべきだ」と指導することはあるだろう。しかし他人の行為を悪いと非難する時は、自分はクリアしているという前提でなければならない。前に少し触れた「オマエが言うな」ということである。

これは道義上の問題にすぎず、裁判で言えば刑事審判ではなく、民事審判レベルの前提かもしれない。つまり自分が過去に盗みを働いていたとしても、他人の盗みを（刑事レベルでは）非難できるという意味だ。そのケースでは、後者の盗みがあったかなかったかだけが俎上にあり、告発者が過去の犯罪者であるか否かは問われない。

ただあえて言っておきたいのは、他人を非難するなら、自分はその内容につきクリーンでなければ恥ずかしいという点。「追及する資格は、過去にその種の失敗のない者にしかない」という（日本独特の？）美徳がない限り、議論は常に後方向にしか進まないという危惧である。

たとえば、枝野幸男議員が官房長官をしていた時、中国の船が日本の巡視船に体当たりしてきた映像を日本国民の目から隠し続けたことは、「再現も検証も可能な状態」で証拠が残されている。そしてその政権は逮捕された船長を法律を無視して釈放し、中国側に戻すよう司法機関に働きかけ、実際にそうなった。このひとつを以てしても、黒川弘務検事に関わる停年延長問題を「司法権独立性の危機」だとする主張——この主張はそもそも、検事正らの任免権者が内閣にあるため司法権の問題ですらないのだが——が、いかに性格の拗《ねじ》くれたものであるかを端的に示している。そう言えばこの党には、ハレンチな罪で有罪が確定した議員がおり、その議員は首相に対し「タイは頭から腐るという言葉を御存じですか」と発言していたようだ。それに対し「意味のない質問だよ」と返した言葉の方は、メディアで大問題となったようだが、本当に問題視すべきは、一国の首相にかなり失礼なことを（自分を棚に上げて）言った側であろう。挙証責任から離れつつあるが、ある人のつぶやきを紹介しておこう。「タイは全身やしっぽの方からも腐る可能性だってあるなあ」（ウマイ！　座布団二枚！）。

†九五％の蓋然性

なかったことを証明するのは、あったことを証明するより一段と難しいことである。悪魔の証明と呼ばれるゆえんであるが、しかし状況によっては不可能ではない。具体的な話は、例を挙げながら進めることになろうが、**なかったことの証明は「統計学上の蓋然性の世界」が中心となる**ことをまず知っておいてほしい。

あったことの証明（刑事裁判）は、一〇〇％のレベルと説明したが、実を言えばそれらとて「一〇〇％に達しないケースもある」ことは認めざるをえない。アメリカでは陪審員が全員一致したことをもって、一〇〇％か〇％かを定義・決定しているものとみなしているのであるが、最後まで反対・疑問を呈した一人が、しぶしぶ残り一一人に同意した可能性もある。これとて蓋然性の世界の話だと言えば、そのとおりであろう。映画ファンなら、ヘンリー・フォンダ主演のある場面を思い出すかもしれない。刑事審判における一〇〇％は、つまり、厳密な数学的・自然科学的な意味の一〇〇％ではなく、「一般常識的な意味あいにおける一〇〇％」であることになる。

社会科学の分野では、統計学的に因果関係や相関関係を認めるには、「九五％の確信」があれば足りる。たとえば、「××地区の子どものＩＱが高い」という事象を証明――社会科学的に証明――するにあたって、「データ分析の結果、そのような偏り（地域差）が偶然で起こる確率が五％以下（二〇回に一回程度以下）なら、それは（ほぼ）事実とみなしてよろしい」というルールなのである。これを悪魔の証明に援用するとすれば、なかったことを証明する側はすでに大きなハンディを背負っているのであり、それがゆえに「大まかに証明できればなかったと認めましょう」ということである。これは挙証責任というより説明責任に重点が移っているのかもしれない。

二〇回に一回というのは、かなりの確率で起こる。じゃんけんで（引き分けなしに）三回連続で勝つのは二七回に一回であるから、それよりは頻繁に起こるわけである。じゃんけんで一〇回連続勝ってもそれは偶然かもしれない。哲学者カール・ポパーは、「どんな理論も反証ひとつでくつがえされるまでの真実にすぎない可能性を秘めている」との趣旨の主張をしているが、どんな事実（らしきもの）も我々が一〇〇％の真実と信じているだけのことかもしれない。

犯罪も社会事象である以上、「彼がやったことは間違いない」と言う時、そこにはある程度の誤差は許容されている可能性がある。誤解を恐れずに言えば、九五％以上の有意性を持つ事象は、社会科学において「証明された／証明されかけた」ものと考えてよいわけである。なかったことを証明するプロセスは、「一定の蓋然性の世界」の話であることをもう一度強調しておく。

†伝統的にあったことを否定する

ずっと「あった」と信じられてきたことが、実際には「なかった」と新たな主張を展開する時は、「なかった」とする側が積極的にその根拠（証拠とまでは行かなくとも、有力な「説明」）を提示する必要がある。これはのちに述べる「挙証責任のトランスファー」が起こるケースである。

歴史研究においては、この種の「言い伝えでは×××であるが、実際は〇〇〇であるらしい」という論文や主張が少なくない。たとえば聖徳太子は歴史教科書にも載っている実在人物とみなされているが、「そのような人物は存在しなかった」という主張もある。このようなケースでは、「新たな主張を展開する側に、多くを納得させる説明責任がある」ことはおわかりいただけよう。

永い間信じられてきたことは、生半可なことでは否定できるものではない。傍証も含めたいくつかの証拠を示し、その蓋然性レベルを「(ほとんど)皆が納得するレベル」まで引き上げる必要がある。

たとえば、聖書時代のイスラエル地方において、ある種の悪行をなした者は「石打ちの刑」に処せられることがあった。ある姦通を犯した女がこの刑に処せられることになった時、イエスが「罪を犯したことのない人から、石を投げなさい」と言い、結局誰も石を投げ始めることができなかったという有名なエピソードが、ヨハネによる福音書(の特定ヴァージョン)にある。

バート・D・アーマン(二〇〇六)は、この話が「なかった」と主張している。その根拠は、その話が「ギリシア語新約聖書の最古かつ最良の写本にはない(そしてその頃の他の写本にもない)」という事実である。文体や使用される単語やフレーズも、この部分にしか登場しないものが大量にあるとも述べている(前掲書、八七頁)。これらは決定的な証拠に思えるが、教義の絶対性を前提として持つ一部の人々は納得しない。ここで言う「（ほとんど）皆が納得するレベル」の「皆」とは、「常識的な認知能力によって物ごとを客観的に判断できる人々」をさすことにしておいてほしい。でないと筆者が求めるレベルの知的な議論になりえないのだ。

†なかったことの三要素

なかったことを証明する要素は大きく分けて三つある。「不可能性」、「非合理性」、「間接補強証拠・要因」であるが、これらを「抗弁の三要素」と呼んでおく。最初の不可能性は一〇〇％の証明（挙証）が可能な要素であるが、後の二つは補強証拠（説明レベル）に過ぎない。補強証拠とて複数で有力なものの場合、一〇〇％に近いレベルに達することがありうると考えられる。思い出してほしい。特に個人間の論争ではどちらがジャッジを納得させられるかが争われていた。あとでそれぞれを章に分けて詳しく述べることになるが、まずは簡単に見てみよう。

†不可能性

たとえば犯罪が行われた時間に、現場に到達できない場所にいたことが証明できるなら、なかったこと（やってない）を証明できる。「不在証明」とも、「アリバイがある」とも表現するが、不可能性証明のひとつである。

ミステリー小説では、アリバイがあるように見えて、実はトリックの一種だったというものがある。謎を解く探偵は、アリバイがあるかのような犯人のトリックを見破ったりするのであるが、これらはフィクション小説の中だけの話と考えてさしつかえない。現実社会では、アリバイのある人間は一〇〇%やっていない証明ができた人間として容疑から外れる。

たまに「一緒に飲んでいた人の証言」などによるアリバイもある。証言者が一人で、その一人が親しい友人のケースは少々アヤシイ。複数の信頼できる人間の証言は、アリバイとしてレベルの高いものとされるが、それでも一〇〇%か否かは決められない。

アリバイなどに代表される不可能性とは、文字どおり「特定人にはその犯罪を犯すことは無理だ」と判断されるケースである。アリバイ以外にも、特定犯行を不可能と決定できる要因は、いくつもある。

かつて、ある人が苦しんで死亡したあと、ひとりの高齢女性が自首してきたことがある。

「私があの人を呪い殺した」と主張したのだ。聞いてみると三日ほど前の夜、五寸釘で藁《わら》人形を打ちつける「丑《うし》の刻参《こくまい》り」をしたのだと言う。そしてあの人を殺したのだと。

ここでは行為と結果の間の因果関係がなく、「その手段によって人を殺すことは物理的に不可能」と判断され、無罪となった（というより事件そのものがなかったものとされた）。むろんこの女性は不満であったろうが、無理なものは無理。この種の超自然的手段やオカルトによる方法は、手段（How）に因果がなく不可能性の根拠になる。

†非合理性

物理的、時間的に不可能とは言えないにしても、もし本当にこの者がその行為を行ったとするなら、（かなり）「合理性に欠ける」ケースがある。そのケースは、動機――つまり非合理的行動をとった理由――が説明されなければ、ポジティブ・プルーフの側は苦しい状況となる。先ほど、動機は説明責任の部分であり、場合によっては起訴状における重要性に欠けるケースがあると述べたが、ある非合理的な行動に対しては、動機がきちんと説明される必要がある。でなければ、あったことの証明としては――たとえば起訴状に書かれる内容説明としては――不十分と考えてよい。逆に言えば、納得いく動機が示されない

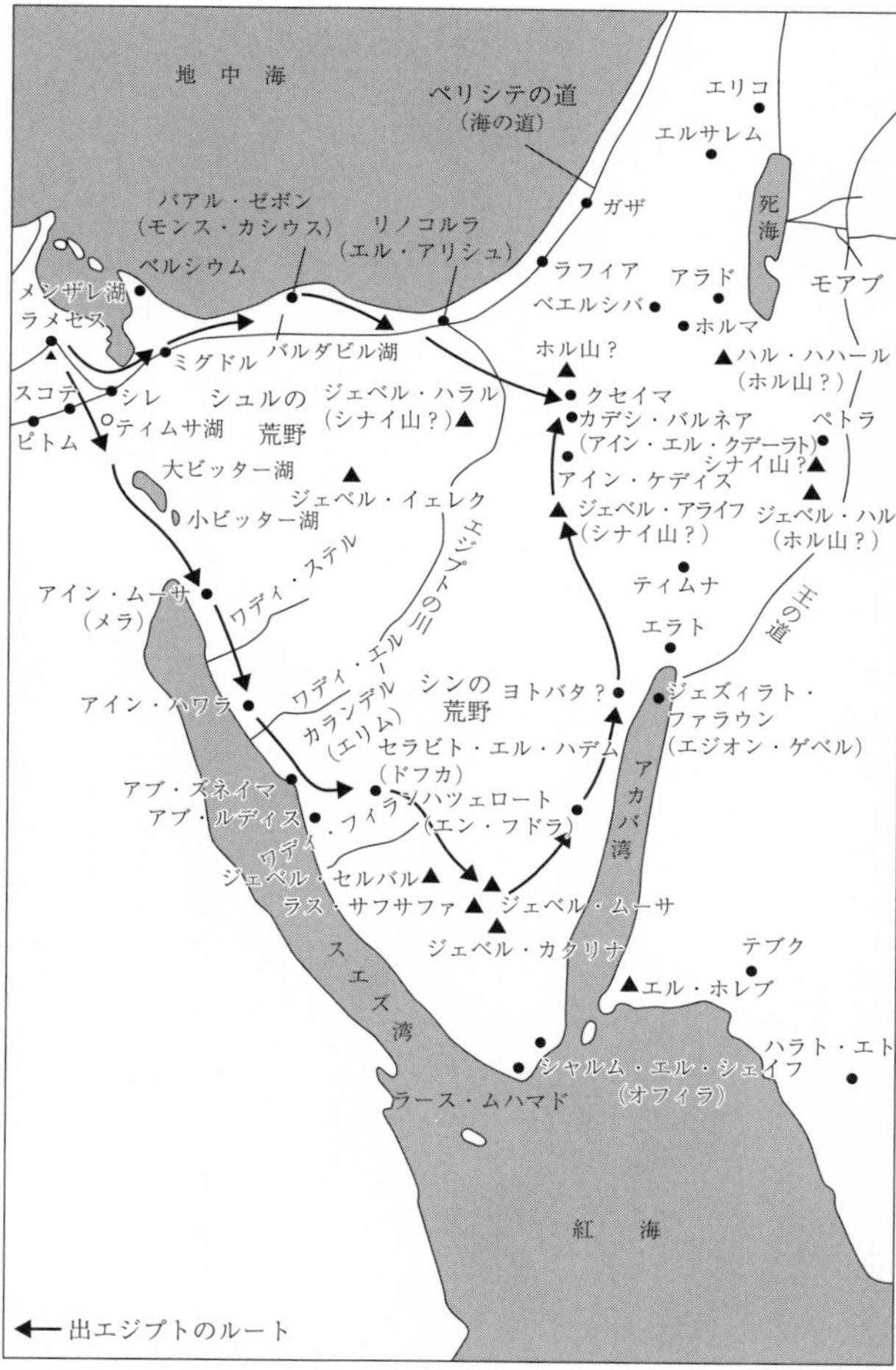

山本七平、2015、上、P.107より作成

非合理的行動は、「なかったこと」の補強材料になりうるという意味だ。

例としてモーセがユダヤ民族を率いて、エジプトを脱出したという旧約聖書の話（「エクソダス」）を考えよう。（あったと仮定して）エクソダスは紀元前一四〜一三世紀頃にあった、と考える研究者がマジョリティであるが、聖書の記述のとおりだったかどうかはよくわかっていない。一応そのようなことがあったものとして話を進めよう。

エクソダスのコースは、大きく分けて二種類提唱されている。北の短いルートと、南の長いルートである。聖書の記述どおり、「紅海を（水を二つに分けたあと）渡り、シナイ山で十戒の板を受けとった」とするなら、必然的に南のルートを取らざるをえない。

このルートは大人数を引率して移動するには、少々どころか、大いに非合理的なコースであることは、地図でみればすぐにわかる。カナンの地をめざし、神にそのように指示されたからと言って、モーセのコース選択に、他のリーダーたち（ヨシュアやアロンやその他小集団リーダー）が疑問を呈さないわけがない。文句を言わないわけがない。常識で考えて従うわけがないのである。

結局モーセら一行は、何十年もシナイ半島のそこかしこをウロウロする。北のルート説に立つ研究者らが、南のルートではなかったと考える一番の理由は、あまりに非合理的でまともな動機がない点である。「神が（我々のわからない理由で）そう命じたのだ」と主張したとしても、全員が従った理由を説明できていない。「神が神秘的な力で残りの人々がついていくよう誘導したのだ」と反論すると、今度は多くのユダヤ人が神の禁じた偶像（別の神を表す金の子牛）を作って拝んでいた記述（モーセは怒って石板をたたきつける）を説明できなくなる。少なくとも「南のルートはなかった」と考える主張において、強力な補強証拠となるのが非合理性なのである。

†間接補強証拠・要因

不可能性や非合理性のように、非難された内容の蓋然性を問題にするのではなく、相手側の義務の遂行が十分でないことを指摘することがある。その結果として反論する側の立場を強くする――つまり結果としてネガティブ・プルーフの蓋然性を上げる――のが間接補強証拠・要因である。間接といえど、その強さによっては「挙証責任のトランスファー」という（次項目で説明する）抗弁に有利な現象を引き起こすことができる。

たとえば相手が「公開討論を（たいした理由もなく）受けなかった」ケースを考えてみよう。非難された側から有力な反論が出され、非難した側がそれに対応しなかったがために、公開討論の申し出があったとする。むろん受けるのが礼儀であり、義務でもあるはずであるが、「言いっぱなし」で反論を物理的に封じようとする者もいる。このように反論を公にする手段をムリに封じようとした時、挙証責任は最初に非難した側に移る。本当は移るというより、もともと挙証責任のある側が、十分な証拠を提示できていなかっただけのことだと考えることができる。

不十分な証拠で相手を非難し、反論に対し無視したりするのは、国と国との関係において起こることが多い。特定のメディアにもよく見られる。実例は後の章で紹介することになろう。

†挙証責任のトランスファー

非難された側が、可能な限りのリソースと手段を駆使して、なかったことをなかったと言うことができたと仮定する。何とか二〇人のうち一九人くらいを納得させるレベルの反論(ここでは「有力な反論」と呼んでおく)にこぎつけたとしよう。その有力な反論がなされた時、「挙証責任は当初非難した側に移行する」というのが暗黙の――少なくとも人間としてあるべき――了解事項であると考える。少なくとも学問の(事実確認の)現場における論争ではそうである。この挙証責任が非難の出発点に戻ることを「挙証責任のトランスファー」と呼ぶ。

†反反論

なかったことを証明する、もしくはそれに近づける要素のうち、「不可能性」が反論として有効と認められたケースは、挙証責任のトランスファーは即座に発生する。個人vs.個人の争いにおいては、たとえ一〇〇％の不可能性でなくとも九五％くらいの不可能性が示される程度でも最低「説明責任」レベルのレスポンスの責任が成立する。ポジティブ・プルーフ側は、その抗弁に対する「新たな反反論（あるいは再非難）」――つまり非難の根拠のより強い提示や、抗弁の穴の指摘・追及――をする義務がある。それができないなら、当初の非難を謝罪するしかない。ただし世の中には、それほど潔い人間ばかりいるとは限らず、抗弁に対し有力な反反論もないのに無視を続ける者も少なくない。

「不可能性」を除く二つのネガティブ・プルーフの要素、「非合理性」と「間接補強証拠・要因」は、「不可能性」ほどのパワーはないにしても、それに近いものがありうる。逆にかなり弱い根拠のものもある。根拠（パワー）の弱いものであろうと、いくつか合わさると「合わせ技一本」のような状況が認められる抗弁（有効な反論）となりうる。たとえば信用度七〇％程度の抗弁であっても、別個独立して三種類あれば、ポジティブ・プルーフ側のパワーは二・七％（＝〇・三×〇・三×〇・三）まで落ちる。つまり抗弁は九七％以上のパワーで成功している計算となるため、ポジティブ・プルーフ側は、それらの抗弁に対しコメントを出すことが求められる。すでに挙証責任のトランスファーが（かたぎの世界なら）起こっている状況だと考えられるからである。

ひとつの抗弁のパワーを七〇％などと決めることは、机上の論理にすぎないことは認めよう。ここでは「ある程度うなずける反論がいくつか存在する時には、答える義務が生まれる」ことを強調したいのである。

†不十分な反反論（再非難）

民間どうしの論争（私vs.私）であっても、立場に強弱が存在することは多々ある。たとえば大企業と個人が争うケースでは、前者が圧倒的に有利であるのは明らかである。裁判所（法）もそのあたりを考慮し、強い側には一定のハンディを与えるきらいがあるが、それは制度と言うより人情的なものである。社会一般常識として、強い立場の側は、より厳密な証拠提示を求められるものと考えられているようだ。法哲学上の疑問は生ずるかもしれない。

非合理性や間接補強証拠・要因により、ネガティブ・プルーフ側が、ある程度以上の確からしさで有力な反論をした時、挙証責任のトランスファーが起こる。そんな時ポジティブ・プルーフ側は、一定の解答——反反論（再非難）、コメント、謝罪など——を一定期間内に返すことが義務である、という言い方をした。しかし何度か述べたように、自らの義務を無視やだんまりで放棄する者もいる。そんな時はどうなるのか。

有力な反論に対する反反論があった時は、論争は以後も続くかもしれないが、無視やだんまりは論争自体をストップさせる。両者とも同等の情報伝達・開示手段を持っているなら、相手の不義理を批判することもできるが、多くの場合——特に新聞やテレビが無視・だんまりを決めた時——、ネガティブ・プルーフ側は、自分たちの正しさや論点をアピールすることができなくなる。そしてそれが現実社会で起こっていることでもある。

無視やだんまりに合う。あるいは不十分（「すりかえ」も含む）な反反論であった場合、最後の手段は「司法機関への提訴」である。このケースは逆に、こちらが相手側を非難する側になるため、ここでまた挙証責任のトランスファーが起こる。名誉棄損などの確固た

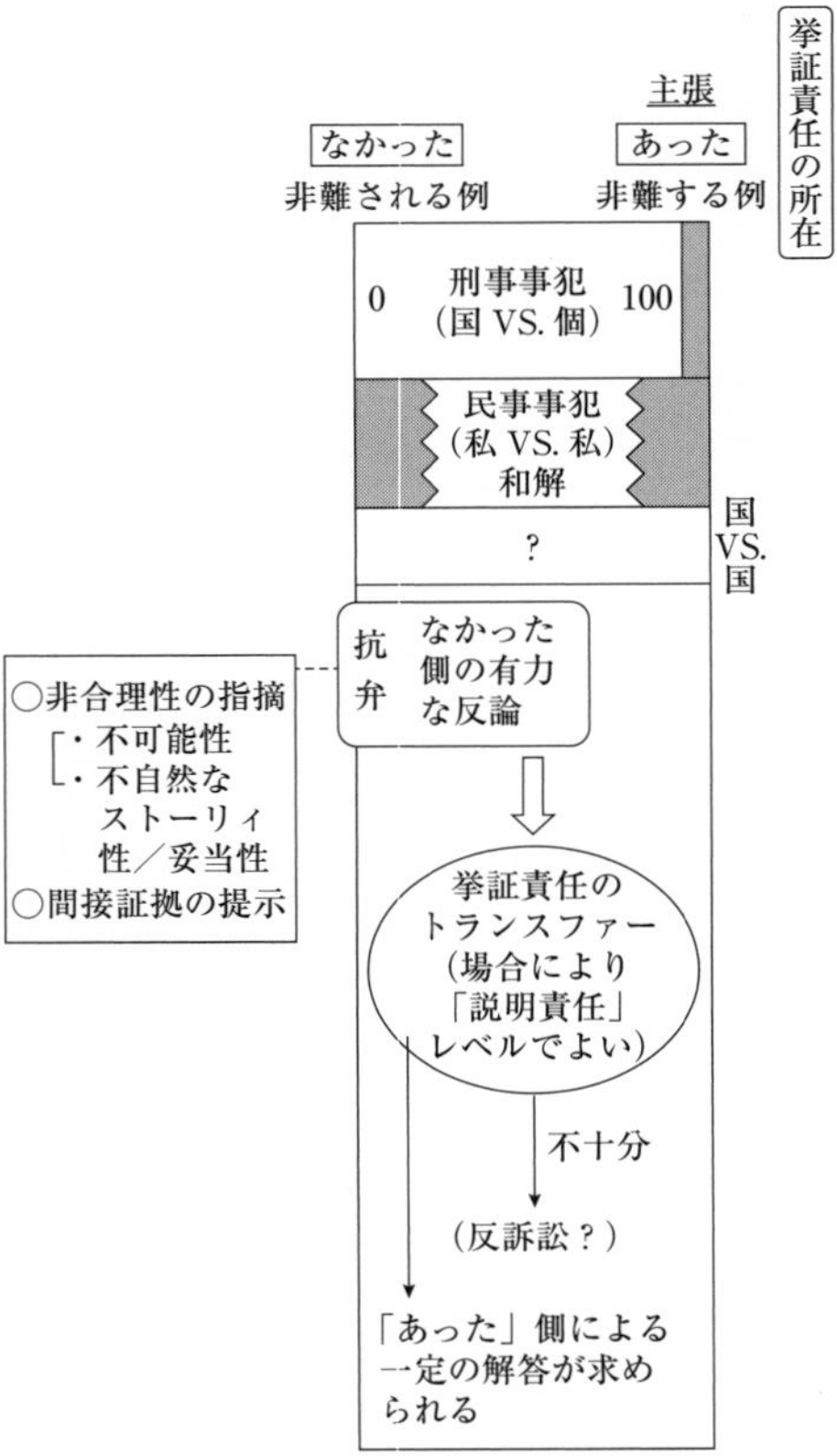

る証拠がなければ勝訴は難しいが、少なくとも世の中に正しさをアピールすることは可能である。

提訴に二の足を踏むひとつの原因は訴訟費用であろう。少なくとも最初に非難された側が有力な反論をし、最初に言い始めた人による、不十分な反反論などに対し行う提訴に関しては、勝訴した時に訴訟費用の負担は免除すべきであると信じる。間違った非難をスタートし、反論に応答しなかった側に負担させるのも一案かと思う。

ここまでの議論を図示すると、右のようになるだろう。

本章は、悪魔の証明の話をするための基本となる概念である挙証責任について解説した。ついでに説明責任にも言及した。いわば総論的なチャプターで、この先の議論はこの図を念頭に進めることになる。次章以下は各論に入ることになる。

III

不可能性

——社会的不可能性と神学論争

「不可能」と言うとき、文字どおり物理的に（一〇〇％）不可能という意味あいの使用は、最も厳格なものだ。自然科学世界では不可能とはそのような意味だが、「社会的な不可能」はもう少し異なるニュアンスの用語である。主観感覚で「そりゃー、ムリだろう」というレベルで使う人も多い。まずは一〇〇％の反証ともなりうる「物理的不可能性」に関してからスタートしよう。なるべくわかりやすい例で示すことにしよう。

†ノアの方舟

旧約聖書の創世記に、有名な「ノアの方舟」の話がある。聖書の記述にあることはすべて真実だと考える人々――「ファンダメンタリスト」たち――は、ノアの物語は本当に起こったことだと主張する。

ユダヤ教の神、ヤハウェは人間どもの堕落に怒り、ある時人類を滅ぼして、もう一度リセットすることを決意した。ただし神の命令を守る心正しきノアと、その家族は助けることに決め、ヤハウェはノアに言う、「これから大洪水を起こして、地上の生き物すべてを滅ぼすつもりだ。ノアよ、お前は方舟をつくり、地上の生き物をひとつがいずつ乗せなさい」と。

四〇日間の大雨で洪水が起こり、水が引く一五〇日後まで、世の中は完全に水没する。あれやこれやで船はアララト山の頂上近くに着き、ノアの息子たちとその嫁たちは人類の祖先になる、という物語である。つがいの動物たちが七匹ずつという記述もあるが、一応少ない方のつがい（二匹ずつ）と仮定しておこう。聖書によると、それぞれの動物の一年分の食料も積んだそうだ。

こんな話を真剣に取り上げるのは気がひける（プライドも傷つく）が、次のいくつかの点を考えるだけで、この話が物理的に不可能であることが明らかとなる（以下は聖書の記述をもとにする）。

◎方舟は長さ三〇〇アンマ（約一三五メートル）、幅五〇アンマ（約二二・五メートル）の三階建て。つまりフロア面積九一一五・五平方メートルである。小動物に必要なスペースをエサも含めて（少なめに）ひとつがい一〇平方メートルとしても、九〇〇つがいくらいでいっぱいになる。むろん小動物に限定しても、世に存在する動物種はこれよりはるかに多い（万の単位だろう）。しかるにもっと場所をとる中型動物や、大型動物（ゾウやキリン）をエサも含めて乗せることは、ラクダが針の穴を通る比喩など簡単に思えるほどの不可能レベルである。

◎地球を水没させる量の水は、地球はおろか太陽系全体のH_2Oでも作れない（と、アイザック・アシモフが科学エッセイで述べていた）。
◎聖書の記述では、アダムとイブからノアまでは一〇代ほど。ノアからアブラハムまでさらに一〇代。アブラハムからイエスまで四二代と記述されている（参考：「マタイによる福音書」）ため、計六二代ということだ。聖職者の計算でも、神が天地創造をしたのは、紀元前四〇〇〇年頃であるから、ノアはせいぜい今から五〇〇〇年前より新しい人間である。たとえばエジプトでは、その間途絶えることなく人口が何百万人もいたことがすでに知られており、ノアの次男のハム一人からエジプト人がスタートするという聖書の記述とは矛盾している。

なんか、まじめに矛盾点を考えるのがバカらしくなってきたので、（まだまだあるが）このへんでやめておく。それにしても、この話を真実だと信じている人のなんと多いことか。現在の海洋地理学は、過去の洪水や津波の跡を確定（もしくは否定）することができる。小規模な川の氾濫程度はあった形跡は確かに存在するが、ノアが住んでいたウルからアラト山まで、船を八〇〇キロも流す洪水があったはずがない。こうして、ノアの大洪水は物理的に「なかった」と決定づけられるのである。それは「物理的に不可能」という簡単な理由による。

本来なら「あった」と主張する側が、一定の証拠を提示するべきことで、「なかった」側は何もしなくともよい。たとえばアララト山に残る方舟の木切れを示し、炭素同位体による計測で年代を特定する。あるいは地層に残る洪水の跡を示す、などなど、あったことを証明する手段はいくつかありうる。しかし、そんなことをしなくてもこのケースは、なかったと考える側に、証明できるレベルの証拠が揃っている。藁人形で人を殺すより、もっと物理的に不可能なのである。

洪水伝説は世界各地に残る。それらの伝説は、ノアの洪水物語が書かれたはずの紀元前七～五世紀頃（あるいは、ダビデ王の頃［BC一一世紀］）より、タップリ二〇〇〇年は遡るものもある。インド

『人間と文字』平凡社、1995年より。「大洪水物語」の粘土板。ニネヴェ遺跡から大量に発見されたアッシリア語書板の1つ。聖書のノアの洪水物語の原形が描かれており、『ギルガメッシュ叙事詩』再発見のきっかけとなった。［BC 8 世紀頃、大英博物館蔵］

やギリシアにも類似の伝承が残る。アッシリアの粘土板に残る『ギルガメッシュ叙事詩』やパレスチナで出土した「アトラハーシスの物語」には、ノアの物語に酷似する話——たとえば鳩を放ってオリーブの枝をくわえて戻ってくる点まで同じ話——が書かれている。どうひいき目に見てもノアの物語の方が新しい。

†科学の絶対性

読者の中には不満に思う人がいるだろう。世の中には科学で説明できない事象がいくつもある（と聞いた）のに、なぜ科学の説明だけが優先されるのかと。「神がそのように決め、そのようにしたのだ」という考え方だって成り立つはずだという主張に対し、決定的な反論などありえない。どれほど合理的に説明しようと、「それは神が決めたのだ」、「神ならできるのだ」と返ってくるだけであるからだ。その種の主張の一番の欠点は、「妥当性と再現性の欠如」であろう。妥当性と再現性については後に解説することになるが、要するに「バカバカしい」のである。

・神話と哲学

「神話（myth）」は、文字どおり神の話（物語）で、言わば神の存在と力によって、世の中で起こる事象を説明する。それに対し、「哲学（philosophy）」は、論理的・合理的に世の中の事象を説明しようとする。

ここにおける「論理」とか「合理」、という文言の「理」という文字は、長い歴史で積み重ねられた、（皆が納得する）「事実とは何かという整合性のある説明」のことと考えてさしつかえない。むろんここで言う「皆」とは、本書の言うところのまともな人々をさす。もう少しかみ砕いて表現するなら、「知の集積」とも表現できるだろう。「philosophy」の語源の「philo」は愛する、「sophy」は知（識）のことで、つまり哲学とは「知を愛する」学問と考えることができる。

現代では哲学と言えば、小賢しい理屈をこねくり回し、結論の出ない空論を戦わせるようなニュアンスで受け取る人が少なくない。しかしもともとは、数学や物理学、天文学などを含む、「世の成り立ち」や「あり方」を思弁する高尚な学問をさしていた。知を愛し求め続け、ある程度極めた人間を指して哲学者と呼んだ。人文・社会系大学院では、いまだに授与される学位（博士号）をPh.Dと呼ぶことが多いが、これは「哲学博士（Doctor of Philosophy）」の略号である。俗に「知の巨人」と称される博覧強記の人間を見ると、世の中のすべてに興味を持つタイプが多いが、ピュタゴラスやソクラテスの時代の哲学者とは、そういう人々を意味する言葉だったのだ。

・演繹的論理学

アリストテレスが始祖とされる演繹的論理学は、特に過去の事実との無矛盾性と因果律を重視した。おぼろげながらも判明しつつあった種々の現象を前提として、もしそれが正しいなら、推論として導かれる結果や論理も正しいと考える方法論である。アリストテレスは、科学的方法論の第一歩をスタートさせ、発展させた哲学者であると言っても過言ではないだろう。

推論として導かれる結果や論理が、前提条件と相容れないものであったなら、もとに戻って前提条件から考え直さなければならない。ギリシア哲学と呼ばれる知の体系は、このような緻密な作業をいくつもの集団が競い合うように発展させてきた結果、大いに向上してきたのである。哲学者とは、あえて別の表現で言い表すとすれば、「科学的方法論を大切にし、守ってきた人間」であるとも言える。

そこに「すべては神がそう決めたから」、という理屈を持ち出したのが神話（宗教）の体系である。キリスト教の教義が大前提として存在し、その部分は決して変えてはならない。世の中の現象は、教義と矛盾しないように説明しなさい、と命じられた時、ギリシア哲学が持っていた自由な発想と、競争による知の発展力、そして論争のルール（科学的方法論）は、大部分失われてしまったのである。

・科学的整合性

たとえば地球が何十億年もの歴史を経てきたことは、地層学、物理学、天文学、生物学、化学などの知の集積によって、「事実である」と断言できる。筆者は一応研究者として、「一〇〇％」とか、「断言する」などという例外を許容しない用語はなるべく使わないよう気をつけているが、その筆者をもって断言できる。「地球は何十億年もの歴史を重ねてきた」、それは「一〇〇％確実」だと。

夥《おびただ》しい量の証拠があり、すべてに整合性のある理論で裏打ちされているのが、地殻変動、堆積物による地層形成、およびそこに残る化石、そしてそれらから演繹される（特殊な放射性物質の半減期による年代測定などによる）生物の進化である。そう、人間がもっと猿に近い生きものだった時代は、かつて実際に存在したのである。

むろんまだわかっていないこと、説明できないことは山ほどある。研究者の多くはそうした未知の問いに答えるべく、日夜研究にいそしむ。そこにおいては、過去に積み重ねられた多くの事実と理論の上に、何か新しいものをのせる努力が続けられているのである。

なお、ほぼ間違いないレベルの証明が可能な自然科学の分野間でも、証明の厳格さには微妙な差は存在する。生物、医学、化学などは比較的厳格性のレベルが高いとは言えないが、逆に最も厳格なのは数学の世界とされる。サイモン・シンによる『フェルマーの最終定理』(新潮文庫、二〇〇六)には、次のようなくだりがある。

数学の証明は、われわれがふだん口にする「証明」、あるいは物理学者や化学者の考える証明よりもはるかに強力かつ厳密だ。科学的証明と数学的証明とは、微妙に、しかし重大な点で異なっている。(中略)
数学の定理は、この論理的なプロセスの上に成り立っており、一度証明された定理は永遠に真である。数学における証明は絶対なのだ。(サイモン・シン、二〇〇六、五六頁)

時として、過去の(信じられてきた)事実が間違っていることに気づくこともある。しかしそれは、比較的マイナーな調整(サブ・パラダイム・シフトとも呼ばれる)にすぎず、大きな流れや、科学全体の事実追究の方法論自体はほとんど変わらない。算術計算において、2+2が4になることや、三角形の内角の和が(二次元平面上で)必ず一八〇度になることが事実であるように、科学は自明の公理の上に確固たる体系を作り上げている。いくら「神なら内角の和を二〇〇度にできる」と主張しようと、間違っているものは間違っているのだ。

内角の和なら必ず一八〇度であることを（しぶしぶ）認めたとしても物理法則なら――たとえば万有引力の法則なら――変えられるかもしれない、などと考える宗教もある。しかし数学上の公理レベルの事実が、大きな山の土台付近の石や岩だとすれば、万有引力の法則は二～三合目の石や岩にたとえうる。現在の頂上を形成する部分は崩れたり形を変えたりする可能性はあるが、中腹以下が大きく崩れることはまずない。実際の山なら噴火したり地層が変わったりすることもあるだろうが、この科学体系という強固な山は、全体として決して崩れない山だと考えてよいのである。

繰り返しになるがまとめておこう。科学とは、「論理的・合理的に世の中の事象を説明するための過去に認められた事実と理論の集積、およびそうした結論に達するための方法論（観察・データ・因果律・統計など）のこと」である。客観的な「知」の集積とも表現しうるものであり、実際に世の中の事象を最も的確に説明しうる（唯一と言っていいほど他の追随を許さない）論理体系なのである。

†宗教家たちの選択

科学という巨大で強固な山が築かれるのを横目に、神による世の成り立ちや、行動規範を（偉そうに）説明していた宗教の権威者たちは、いくつかの選択を迫られることになった。自分たちの教義と科学が示す証拠の数々とが矛盾を示し始めた時、宗教家たちには少なくとも「三つの選択肢」があった。

ひとつめは、「科学を否定し続ける」こと、つまり自分たちこそ正しいと主張し続けることである。それはある意味で険しい道でもあった。たとえばある集団内で、これまで病気を治すのは、神の意志や神の弟子にあたる人間（呪術師など）による、「（科学の見地からは）不思議な方法」であったとしよう。そんな時でも、自分たちが正しいとするグループは、現代医学より、自分たちの伝統を信用しなくてはならないからだ。医療に限らず、すべての科学的事実を否定する教義は、昨今ではあまり多くの人に受け入れられることはなく、長く続くこともない傾向を持つだろう。ペニシリンで治る病気が、摩訶不思議なまじないで治らないことなど、経験ですぐに判明するからである。

ふたつめは、科学を真実と受け止め、「聖典に書かれていることや、伝統的に信じられていたことの中には、誤りもあることを素直に認める」ことである。このように柔軟に新しい知見を取り入れることのできる教義は、比較的長く続く傾向にある。しかしその宗教の「根本に関わる教義と矛盾する事実」が、科学によって示されたらどうするのか。それが次の三つめの選択肢である。

三つめの選択肢は、「ある程度まで科学の成果を認め、場合によっては聖典の一部分が神話かおとぎ話にすぎなかったことを認める」。それでいて基本教義に関わる部分は、なんとか「科学と矛盾のない説明をつけよう」とする。そんな「解釈の変更」を選ぶ選択肢である。

進化の法則はもう否定のしようがないため、神が天地を創り、アダムとイブを作ったことや、ノアの大洪水は神話として考えましょう。ただし神（ヤハウェ）の存在やイエス・キリストが同じ神格の同一体のような存在（三位一体）であることは、決して疑ってはなりません、などと、一定の融合を目指す宗派がその例である。

†アクセスの制限

三つの選択肢のひとつめ、つまり自分たちこそ正しいと主張し続けることは、科学がまだ低い山であった時代には、ある程度通用した。先ほど伝統に固執するだけの宗教は、昨今では長続きしないだろうと述べたが、ずっと以前には科学などまやかしだとする「カワザ」が通用し、宗教の教義が科学の論理より優位にあった時代もあった。しかもその時代はけっこう長く続いていた。

科学を否定する効果的な方法のひとつは、「人々をして知識にアクセスさせない」ことである。幸いというか、識字率が高くない時代は長く続いた。肉体労働を中心とする社会では、識字能力はそれほど重要なものとはみなされていなかったからである。字を読んだり書いたりするのは、一部の特権階級や、専門職業の人にだけ必要だと考えられていたのである。イエス・キリストや、弟子のうちの何人が字を書けたかはわかっていないが、圧倒的に少数派だったはずだ。識字能力は、知にアクセスするための大きな手段であり、その点で識字率の低い社会においては、科学が何をどう言おうが、無視できる小さな波にすぎなかったのである。その小さな波にアクセスできる人々は、しかし、比較的教養のある有力者であるケースが多かったため、潜在的脅威は小さくはなかった。そこで宗教家が実施した対抗策のひとつが、「禁書」指定や「焚書」と呼ばれる隠蔽工作である。

手元に一八〇六年発行のカトリック教会による『禁書目録』がある。当時の教皇ピウス

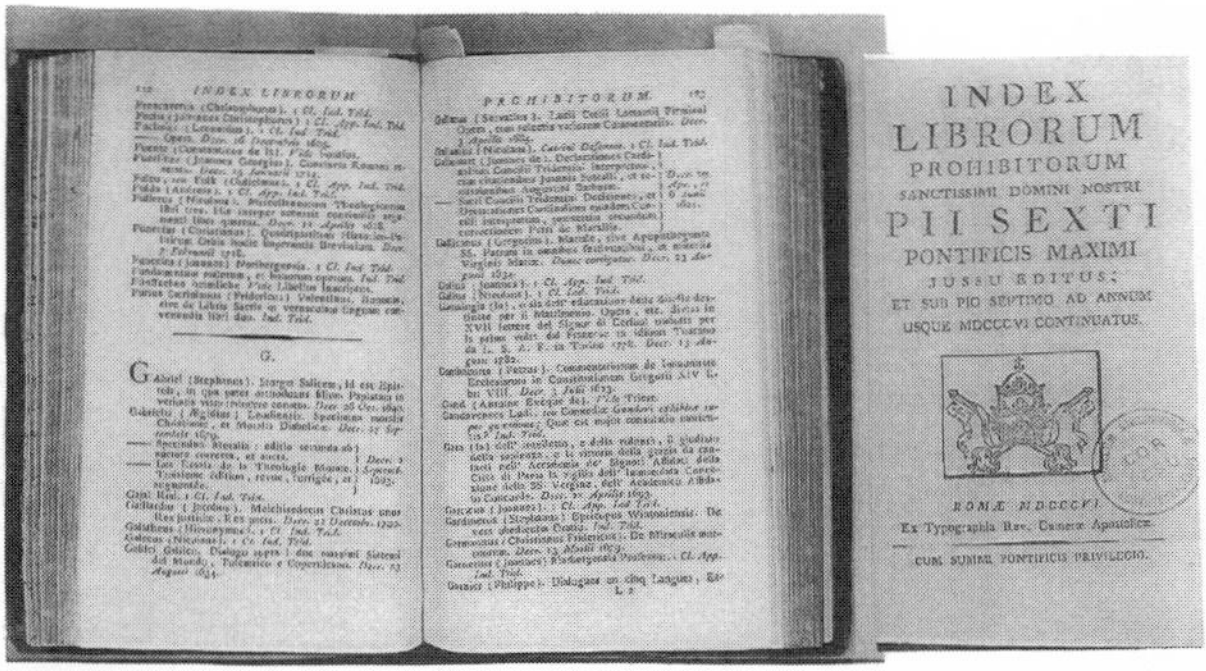

禁書目録（個人蔵）

七世（在一八〇〇―一八二三）によるものである。この目録自体は一五五七年から始まっているが、それ以前にも禁じられた書はいくらでもあった。

一九世紀初め頃は、すでにかなりの知の集積が存在していたが、ダーウィン（進化論）やヴェゲナー（大陸移動説）、ラザフォード（原子論）、ワトソンとクリック（遺伝子論）、アインシュタイン（相対性理論）などは、まだ現れていなかった頃である。

禁書目録には、ケプラー、コペルニクス、ガリレオなどの（ある人々にとってけしからん）科学書以外に、ジャン・ジャック・ルソーやジョン・ロックなどによる社会思想書、そしてキリスト教の中でも一部の権力あるグループでありながら、意に添わない教義を主張する異端者――たとえばヤン・フスやマルチン・ルター――なども載っている。

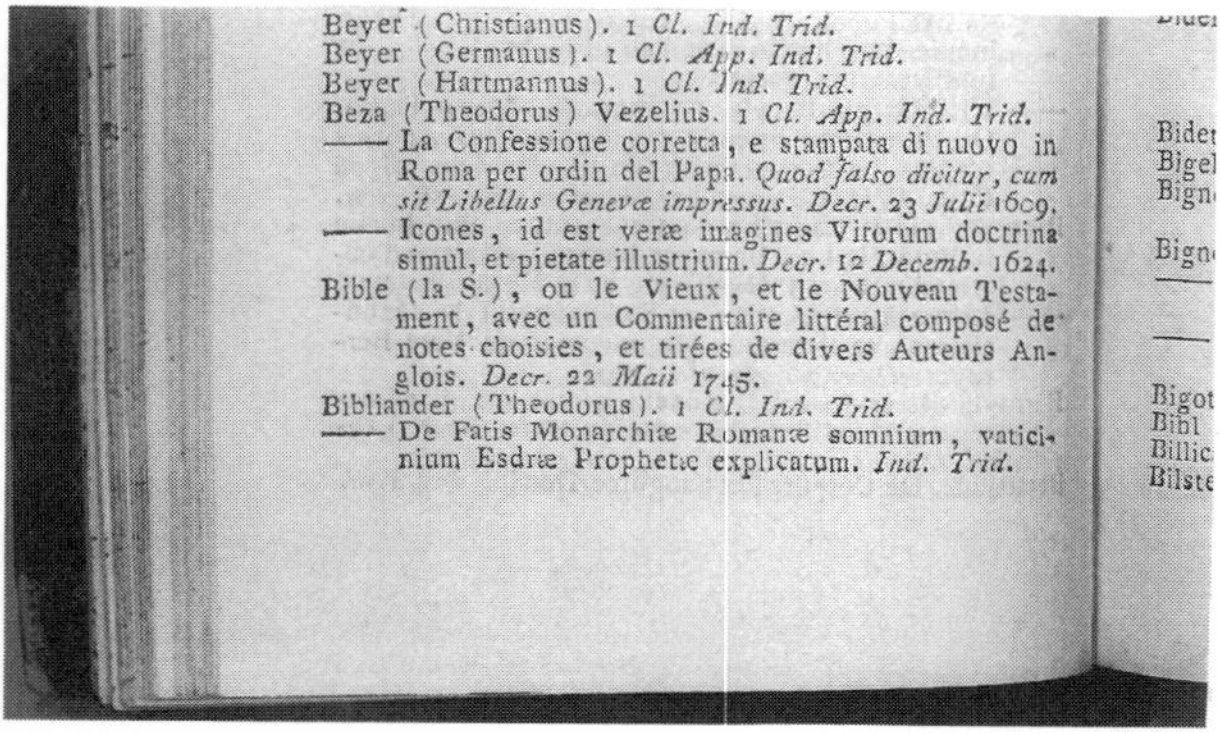
Beyer (Christianus). 1 *Cl. Ind. Trid.*
Beyer (Germanus). 1 *Cl. App. Ind. Trid.*
Beyer (Hartmannus). 1 *Cl. Ind. Trid.*
Beza (Theodorus) Vezelius. 1 *Cl. App. Ind. Trid.*
—— La Confessione corretta, e stampata di nuovo in Roma per ordin del Papa. *Quod falso dicitur, cum sit Libellus Genevæ impressus. Decr.* 23 *Julii* 1609.
—— Icones, id est veræ imagines Virorum doctrina simul, et pietate illustrium. *Decr.* 12 *Decemb.* 1624.
Bible (la S.), ou le Vieux, et le Nouveau Testament, avec un Commentaire littéral composé de notes choisies, et tirées de divers Auteurs Anglois. *Decr.* 22 *Maii* 1745.
Bibliander (Theodorus). 1 *Cl. Ind. Trid.*
—— De Fatis Monarchiæ Romanæ somnium, vaticinium Esdræ Prophetæ explicatum. *Ind. Trid.*

禁書目録「Bible」の項目

カトリック教会にとって最も危険な人物とは、多くの大衆や全く別の宗教的ライバルよりむしろ、比較的近い信条でありながら、相容れない主張をする知的な人々であったことは想像に難くない。手を出しにくい所にいたヤン・フスなどは、「決して悪いようにはしないから」と約束して、チェコ（ボヘミア地方）からコンスタンツの公会議（一四一五年）に呼び出し、そのまま火炙りにしてしまった。ついでにその著書も全部処分した。ジョン・ロックにしても、「人々が社会と契約したものとみなす」という人権思想の基本を打ち出したことで、その著作は禁書に指定された。契約は「人と神との間でなされるもの」と決まっていたからである。図表のページに載ったガリレオ・ガリレイの項目は、アルファベットのGのページに示されている。ページはまだまだあり、禁書の数がどれほど多くあったかを端的に示している。

先ほど、「カトリック教会は、人々に知にアクセスをさせない施策を採った」と述べたが、実は「人々に聖書すら読ませないようにもしていた」と言ったら、何人かの読者は驚くだろうか。本当である。この禁書目録には「Bible（英語などいくつかの言語）」という項目も存在する。

一六世紀の宗教改革は人々に聖書を読ませ、その教義に従うことを勧める運動であった。プロテスタント系キリスト教会の始まりである。しかし旧来のカトリック教会は、自分たちこそ神の代理人であるとの権威を利用し、金儲けや種々の不正行為に手を染めていた。たとえば最後の審判を受ける時に、天国へ行ける可能性の高まる免罪符——現世での罪を許す許可証書——などを、とんでもない値で売り出していたのである。

ケン・フォレットが書いたクロニカル・フィクション、『火の柱』という小説がある。一六世紀半ば頃のイングランドを舞台としたものだが、その中に次のようなくだりがある。

教会からすると、聖書は禁書のなかでも最も危険なものでしかなかった。フランス語やイングランド語に翻訳され、ある一節がどのようにプロテスタントの教えの正しさを証明しているかを説明する註《ちゅう》がついていたら尚更だった。聖職者は、普通の人々は神の言葉を正しく解釈できないから導きが必要だと主張していた。プロテスタントは、聖書は人々の目を開き、聖職者の過ちを教えてくれると主張していた。（ケン・フォレット、二〇二〇、上、五〇三頁）

キリスト教は啓典宗教——聖なる書の序列と範囲が決まっている宗教——であるはずにも拘らず、人々には聖書を読んでほしくないと言っていたことになる。たとえばイスラム教徒に、コーランを読むなと言うことが、どんな意味を持つかを考えてみてほしい。こうした旧カトリック系聖職者の勝手な解釈を正そう、と生まれたのがプロテスタント運動の始まりである。

ところがヘンリー八世が、ある女性と（禁止された）離婚をしたいばかりに、プロテスタントの中でも新解釈となる「英国国教会」ができる。のちにジェイムズ一世が、異端への締めつけを強化するのだが、それは旧勢力（カトリック）に対するものだけではなかった。ジャン・カルヴァンらの教えを守ってきたピューリタンたち（一応プロテスタントの仲間）に対しても、英国国教と違うというだけの理由でかなり厳しい対応をした。それが一七世紀に始まる、新大陸（アメリカ）への移民につながっているのである。

新大陸においても、聖職者たちは科学との対立に対し、当初は力ワザでの優位性を保持できた。それが崩れるひとつの切っ掛けは、ベンジャミン・フランクリンによる避雷針の発明である。アメリカ建国の父のひとりとして知られる、ベンジャミン・フランクリンが避雷針を発明し、建造物への設置を呼びかけた。それに応えた人々の建物には、なぜか雷による被害がほぼゼロとなったが、応えなかった建物は今までどおりに焼失することとなった。

「雷は神の怒りによる天罰」だと教えてきた教会は、なかなか避雷針を受け入れようとはしなかった。科学によって神の罰を逃れるなど、不届千万と考えたのだろうか。不幸なことに、教会は高く尖った建築物が多く、天候の悪い時に教会を信じて逃げ込んだ信者の多くが、落雷の被害に遭ってしまったのである。その後もいろいろな事象につき、科学の勝利が増え続けていった（以上はアイザック・アシモフの科学エッセイによる）。

こうして宗教家たちのひとつの選択――科学を否定し続けること――は、徐々に不利な地位に移行していったのである。

†柔軟な宗教

イエス・キリストが磔刑で他界したのは、紀元三〇年もしくは三三年のどちらかだというのが、研究者間の共通認識である。三一年や三二年でない理由は（詳しくは省くが）過《す》越《こし》の日（春分の日、そして新月などのタイミング）と曜日が合わない——聖書の何人かの記述と相容れない——ためである。筆者は三三年（四月三日）説を信じている。

キリスト教教義に関する初期の神学論争は、二〜四世紀に起こっている。その後コンスタンティヌス大帝による三二五年のニカイヤ宗教会議で一応の結論に至る。神がヤハウェ、イエス・キリスト、聖霊の三位一体であると決定されたのも、この会議においてである。むろん大帝による強い意志と、多数派による（背後の工作も含めた）ゴリ押しで決まったのであるが、この時異端とレッテルを貼られたアリウス派などは、「ヤハウェとイエス・キリストが同一神のはずがない」と主張していた。片や慈愛溢《あふ》れるイエス、片や嫉妬深く、ワガママ、気まま、残酷なヤハウェとが、同一体などということはありえないと。

後世の研究者の多くは、三位一体説には無理が多く、アリウス派の主張の方が一貫性があると認めている（たとえばロバート・R・カーギル、小室直樹など）。当時の神学論争は、ヘレニズム文化の影響もあって、論理的整合性を重視していた。つまり（あえて付言すれば）「科学的」であることを重視したため、あまりに荒唐無稽《こうとうむけい》な議論は、許されるものではなかったのである。しかしコンスタンティヌス大帝の権威は並大抵ではなかった。自ら司会を務め、「神が一人より多く存在するという論は決して許さん」と睨みをきかしていたのである。

ここにおいて神学論争は、科学の基盤から離脱した。永々と築いてきた、ギリシア哲学以来の科学の伝統を、超自然的な呪術の世界に引き戻してしまったのである。幸い、（比較的）理路整然としていたアリウス派は、北や東に布教の地を得た。ゲルマン人やのちに東方教会の宗派の一部として長く残った理由は、その教義が柔軟性を持ち、少しは科学的マインドを持っていたからであろう。

こうして、科学を拒絶・否定することの多いカトリックから分かれた宗派は、アリウス派以外にもいくつかあり、それらは比較的柔軟性を持った宗教として、各地で変化しつつも生き伸びていった。のちに宗教改革の中心になるのは、ドイツ、オランダ、スイスなど、ゲルマン系の文化を受け継いだ国である。これはおそらく偶然ではないだろう。

さて神学論争が始まったのは、イエス磔刑の日から「一〇〇年も経ってから」であることに気がつかれたであろうか。実は新約聖書の四大福音書（マタイ、マルコ、ルカ、ヨハネ）が書かれたのは、早いものでも紀元七〇年代（マルコ）より後のこと。遅いものは、二世紀に入ってから（たとえば「ヨハネ」）で、著者はそれぞれの表題の名前の本人ではない。伝聞の話をのちに（ギリシア語を書ける者が）書き記したものである。そして重要な点であるのであえて強調するが、これら福音書が参考としえた資料は、パウロが書いた書簡集と、「Q資料」と呼ばれる資料の断片の寄せ集めくらいしか存在しなかったのである。

実はパウロの書は、新約聖書二七書のうち一四書（うち二〜三書は、ルカの手によるとされる）と、半分以上を占める。パウロは、生きている時代のイエスに会ったこともなければ、十字架刑や復活を見たわけでもない。書簡を書き始めたのも、早くて（キリスト教に入信した）紀元四八年頃からであるから、イエスが死んで少なくとも一五年経ってからのことである。そのパウロこそ、（筆者が評価するに）最も柔軟で、論理的整合性を重視した人間だと考える。

当時のエルサレムでは、旧ユダヤ教徒を中心に、二つの大きな宗教観があった。ひとつは「イエスを旧約聖書が預言するメシア（救世主）と認める」側。このグループはのちにキリスト教となる。もう一方は「認めない」とする側で、ユダヤ教のまま存続するグループである。キリスト教グループは、さらに「原始キリスト教団」グループ（主としてイエスの使徒や、とりまきグループを中心とする、アラム語／ヘブライ語を使う人々）と、「ヘレニスト」グループ（ギリシア語で話す人々）とに分かれる。後者は、新約聖書はキリストと人との新たな契約であり、その布教は全世界の人々を対象とするという立場をとる。パウロはヘレニスト・グループに属する。

パウロの柔軟性は、イエスがメシアであることを証明するために、種々の架空話をつくり上げた点にある。旧約聖書の預言書の中に、メシアが復活する話があるため、イエスもそのように復活させる。メシアの生まれる場所がベツレヘムで、処女から生まれると書かれておれば、イエスがそうだとする。ま、柔軟性ある姿勢と言うより、一種の〇〇師（ピー）だったと考えるべきかもしれない。

†科学との融合を目指す宗派

聖職者は教養ある人間が多い。古代ギリシア哲学をはじめ、世の成り立ちに関する著作を読み、論争し、そして考え続けているのであるから、その知識量は計り知れない。その中で頭角を現した者は、聖職のトップかその付近まで登りつめられるはずである。そういうタイプの人々は、すでに聖書の記述を(知りすぎているが故に)心の底では信じていないかもしれないが、背教者や異端とレッテルを貼られると一族郎党にまで迷惑が及ぶ。心の中でジレンマを感じつつも、キリスト教の教義をなんとか説明できるものにしておこう、とする力学が働くだろう。それは理解できる(ま、許す)。

二世紀のプトレマイオスは、全一三巻にも及ぶ百科全書『アルマゲスト』を自分ひとりで書き上げたくらいの知識人である。そのプトレマイオスが、「太陽が地球の回りを回っている」などと信じたはずがない。天空の星々のほぼ一〇〇%が、二四時間ちょうどで北極星を中心に一周すると考えるより、地球が回転すると考えるのが合理的である。

ギリシアの哲学者や知識人にとって地球は丸く、自分で回っているがゆえに太陽が上がったり沈んだりするように見えることは、常識の中でも初歩の部類に含まれていた。アフリカのキュレネ（現在のリビア）で生まれ、ギリシアで学んだ哲学者、エラトステネス（BC二七六〜一九四）などは、（ある実験により）実際に地球の周囲が約二五万スタディオン（当時のエジプトの尺度で約三万九六九〇キロメートル）と計算したが、これは現在知られている数値から一％もずれていない。

大学者プトレマイオスは、地動説を正しいと知らなかったわけではないだろう。おそらく、当時の神学で認識されていた、「天動説の説明が可能であるような理論」を作ったのだろう。それがあまりに複雑で、並の知識人には理解できないものであったがゆえに、以後一〇〇〇年以上もキリスト教のスタンダード的宇宙観となった。プトレマイオスの天球儀は、今もスペインに残されている。

エル・エスコリアル僧院（スペイン、マドリッド）

のちにコペルニクス、ケプラー、ガリ

レオ、ニュートンなどなど、天文学的に反論しきれない科学的証拠が提示され、地動説は正しい理論だと教皇庁すら認めざるをえなくなった。今ではプトレマイオスのように、自分の良心を偽らずともよくなったのはありがたいことである。

プトレマイオスの学説という名のウソは、言論の自由がない中でのやむにやまれぬ天動説支持であったかもしれない。しかし確信犯的に真理をねじ曲げる方法で、特定宗教が科学的であることを示そうとする（ふりをする）人間もいる。それらの人々は、少なくとも（金や地位のためなら）自分の心にウソをついても構わないと考えているか、よほどのひねくれ者のどちらかであろう。

ヴェリコフスキーという、天文の研究成果のいくつかを齧った人間が、ある時「モーセが水を二つに分けたという記述は、地球の近くを別の天体がかすめると起こりうるのでは」と思いついた。

ついでにその天体は、「地球と水星の間の軌道に収まって金星になったのでは」、などとんでもないことを考え始めた。彼はその仮説を元に一冊の本を書き、モーセの奇蹟が実際に起こったことを説明しようとした。その内容は、控え目に言って（まともな計算ができない人にとってすら）ムチャクチャなものであった。

おそるおそる引用してみよう。

ヨショア記を土台にして、西暦前一五〇〇年あたりのいつの頃にか、地球の規則正しい自転が彗星によって乱されたと想像し得るであろうか。このようなことは関係する所が大きいので、軽率にいうべきではない。これに対して私はいう、かかり合いは広く大きいけれども、現在の研究は、その完全さにおいて多くの記録や他の証拠の繋ぎ合わされたものであり、そのいずれも、本書における、ここかしこの記事と同じ重要性を、共通して、持っている——と。

目前の問題は機械学的のものである。自転する地球の外層上の点は（特に赤道近くにおいて）、内層上の点に比べると角速度は同じだが、運動速度が大きい。従って、もし地球の自転が急に停止すると（あるいは遅くなると）、内層は停止（あるいは速度が遅く）するようになるかもしれないが、外層は自転し続けるであろう。（以下略）（イマヌエル・ヴェリコフスキー『衝突する宇宙』［鈴木敬信訳］法政大学出版局、新訂版一九九四［初版一九五二］四六頁）

この本は全編にわたってこの調子で、その引用の多彩さと、人を幻惑させるレトリックと、そしてムチャクチャさのレベルに頭がくらくらする。まあ、迫力があることだけは認めざるをえないか。地球の自転が急に止まると何が起こるか、考えただけで恐ろしい話である（考えてみるべし）。それを真面目に論ずるのがおもしろいところかもしれない。

テネシー州のスコープス裁判――進化論は間違いだから、神が粘土をこねてアダムとイブを作ったとする説を（高校で）教えなさいと命じた裁判――では、科学的に示された多くの証拠や、まともな知能を持った人間の証言はほぼ無視された。一九世紀のアメリカですら、科学における絶対的な事実よりも、キリスト教会の権威が上回っていたのである。こうしてふり返ってみると、物理的不可能性が一方の確実な証明となりうる時代が始まって、まだそれほど経っていないことになる。

現在でもアメリカで四割近い人々が、天地創造やノアの方舟の話が実話だと信じていることは、前に述べた。自由に本が手に入る先進国の代表でこのレベルなのである。

非合理性 Ⅳ

――科学的判断と不思議な論理

「非合理性」とは、ポジティブ・プルーフの主張する内容が、科学的・合理的でないこと――つまり人類が営々と築いてきた知の体系的に考察すると常識に反していること――を示すことによる、ネガティブ・プルーフ側からの反論（抗弁）方法の三つのうちひとつである。手段的・時間的に不可能ではなくとも、「それが実際にあったとは考えにくい状況」だったことを指摘することで、反論の一要素とする考え方である。

本章では大きく分けて三つの非合理的要素を解説するが、その三つとは「不自然さ」、「不思議な不存在」、および「統計解釈」である。まずは不自然さから入っていこう。

†不自然さ

不自然さの指摘は、ある面でポジティブ・プルーフの証拠提示の（特にストーリィ性という「動機」を含む説明部分の）不備をつくことと同義である。「あなたはこうしたことがあったと非難する、しかしもしそれが本当なら……」という形式で相手（非難する側）のストーリィを否定することが多い。

たとえば、「……しかしもしそれが本当なら、なぜもっと簡単な［例示］という方法を採らなかったのか」とか、「……しかしもしそれが本当なら、私はなぜそんなことをする必要があったのでしょうか。いずれにしても得にならないのに」といったように、不自然さを投げかけるのである。

†ストーリィの提示

「非合理性が高い」とは、ありていに言えば（かなり）「ありそうもない話」だという状況であることだ。であるから逆に、ある行動が合理的もしくはその「可能性がある」ことを示せるなら、ポジティブ・プルーフ側の欠点とはなりえない。もし可能性のあるストーリィ提示ができないなら、その行動は非合理性が高いものとされ、ネガティブ・プルーフ側の補強要素（つまりネガティブ側の「説明」）として使用されるだろう。

例として、急いでいるはずなのに東京駅から品川駅まで、山の手線を反時計回りに行ったと疑われているとしよう。その非合理的な行動に納得しうる理由を付与できないなら、通常「そんな行動はなかった」とみなさざるをえない。

ここにおいて、**非合理性が高い行動が「あった」と主張する側は、「皆（もしくは大多数）が納得する理由を提示しなくてはならない」**、**という原則が生まれる。**特に物的証拠が決定力に乏しい状況では、why（動機）がキチンと提示される必要がある。つまりその行動の背景にある「ストーリィ」を探し出し、それは皆が納得するレベルでなくてはならない、という意味である。なかったと主張する側は、そのストーリィへの裏付け証拠が出されたか否かをチェックするだけでよい。これ以降は、「大多数」の定義を「二〇人中一九人以上」としておこう。納得しないのが二〇人のうち一人（五％）以下なら、九五％の納得が得られたと（強引だが）みなしてよいという理屈である。

たとえば反時計回りの電車に乗った理由として、ポジティブ・プルーフ側が「提示するかもしれないストーリィ」として考えられるものをいくつか挙げよう。①友人が反時計回りに乗るので、一緒に行くことにした、②北にある駅（たとえば池袋）で誰かに何かを渡す必要があった、③時計回りの山手線は、占師がやめなさいと言ったなどなど。

これが犯罪の立証のプロセスであれば、なぜそんなに遠回りをしたのか、という理由を検察庁が起訴状の中で説明する必要がある。単なる可能性ではダメで、具体的に大多数の他人を納得させられるレベルのストーリィでなくてはならない。①なら、その友人は誰なのか、②なら誰に何を渡したのか、といったことであり、それらストーリィを補強する証人も必要である。占師がやめなさいと言ったケース（③）は少し難しい。その占師を特定できるなら、その者を喚問すれば事足りるが、特定できないケースはどうするか。このケースはかなり高いレベルの疑義があるにせよ、一応の理屈にはなりうるだろう。

この例は単なる思いつきにすぎないが、これが犯罪立証の一部だと仮定するなら、弁護側による非合理性の指摘——つまりここでは逆回りに乗った動機が不自然であるという抗弁——は、裁判官にとって、検察による「あったこと」の説明が不十分だ、と判定する理由になりうるだろう。この不自然さの指摘は、「立証責任者によるストーリィの展開の不備」を追及するものなのである。

†マリアの処女懐胎

中世の絵画などにも多く描かれているため、一般にもよく知られている物語として、イエスを身籠った時（およびその後もずっと永遠に）、マリアは処女であったといういわゆる「ヴァージン・マリア」伝説がある。大天使ガブリエルとその供をする天使が、ナザレの大工をしていたヨセフと婚約中のマリアを訪れ、マリアが胎内に神の子を宿したことを告げる。神はのちに夫となるヨセフの夢にも現れ、マリアの妊娠は決して結婚前にふしだらな行為がなされた結果ではないことを知る、という不自然の固まりのような話である。

ヘブライ語（旧約）聖書の記述を信じる限り、「イエスには弟と妹が二人くらいずついた」ということである（「三人」という記述もある）。永遠に処女だったとすると、「残りの兄弟たちも（イエスと同じく処女壊胎とすれば）神性を帯びているはず」という懐疑派によるツッコミは、マリア信仰の人々にとっては少々難問となった。聖職者らによる苦しい弁明や、理由づけはいくつもあるが、それらは本筋と関係ないので、無視しよう。

この処女懐胎話は、四大福音書の中でも、使徒たちの間でよく知られていた話ならば「マルコによる福音書」にのみ載っている話である。使徒たちの間でよく知られていた話ならば「マルコによる福音書」、「ヨハネによる福音書」、およびー四編にものぼるパウロの書簡に「書かれていない理由」はわからない。のちに「不思議な不存在」について述べることになる（次項目）が、実際あったとすれば、（残りの書に）書かれていないのは、「著しく不自然」である。

マタイやルカから聞いた話を書記が記録した二つの福音書に、このような話が盛り込まれるにあたって、研究者らが常に考えなくてはならないのは、その場面を見たり聞いたり記録した「直接の証拠（一次資料）はあるのか」、という点である。

まず生まれる前のイエスは（三位一体という前提を正しいものとし、「自分で自分の懐胎を指示できた」とする以外は）知りようがない。同時にマタイもルカも生まれていないし、当時の使徒や兄弟たちの誰もまだこの世にいない。可能性として残るのは、ヨセフとマリアであるが、聖書にはこの二人の証言はなく、書いたものも残っていない。

重要な事実として、マタイによる福音書やルカによる福音書が書かれ始めたのは、早くとも紀元九〇年頃。すなわち「イエスの磔刑から半世紀以上経っている」ことを知っておくべきだろう。まずもって直接の証拠はなく、別人によって記録された聖書内の伝記（福音書）において、「最も古いものでもイエスの誕生から一〇〇年近く経過したもの」であることは指摘しておこう。

「一〇〇年くらいたいしたことない」、と思っている人のために、蛇足ながら付言しよう。二〇二〇年代に生きる我々が、一九二〇年代の出来事を書こうとするなら、当時の文献を探したり、直接見たり聞いたりした人の子孫に尋ねたりするだろう。それでもどれほど正確な伝記が書けるだろうか、はなはだ疑問である。

紀元前後を分ける時代は、文献というものが、高位の聖職者や大金持の手元にすらあるとは限らない時代。たまたま持っていても「数冊がやっと」という世の中において、ユダヤ教の異端と見られていた位の低い人々（イエスとそのとり巻き）が、どうやって文献にアクセスできたのか。ましてやイエスと使徒たちの中で読み書きができた人間は、いたとしても一人か二人がいいところである。聞きとりをするにしても、寿命が五〇年もない頃の一〇〇年前の話であることを知ってほしい。当時のイエスのグループは、皆アラム語かヘブライ語を話すことはできても、読み書きはあやしいレベル。ましてや新約聖書が記述された言語であるギリシア語には、まったく縁のない人々であった。

†つじつま合わせ

マタイやルカが処女懐胎の話を書いたのは、「そうでなくてはならない」からであろうと思われる。以下の論は、アメリカの聖書歴史学者ロバート・R・カーギルの著作『聖書の成り立ちを語る都市――フェニキアからローマまで』（真田由美子訳、二〇一八）を参考にした、「こうだったのかもしれない（たぶんそのとおりだったろう）」という話である。

ユダヤ教のヘブライ語聖書（旧約聖書とはほぼ同じと考えてよい）には、神（ヤハウェ）とユダヤ民族との契約が書かれ、預言者の口を借りた予告（予言）もある。その中に、「ユダヤを救ったダビデのような救世主の出現」が予告されている。それら予告を総合すると、やがてやってくる救世主は次のような条件を満たす人物でなければならない。

・処女から生まれる。

・（ダビデのように）ベツレヘムで生まれる。
・いくつもの奇蹟を起こす。
・他人の（大勢の）罪を背負って処刑される。
・死んでも（三日間で）復活する。

「おお、イエスはピッタリだ」と考えている人はむろん正しい。イエスの生涯は死んで半世紀以上も経った頃、それらの条件に合うように記述されたのであるから、「ピッタリ合わないはずがない」のである。

イエスが十字架で死んだ時、ユダヤに住む人々は失望した。ダビデのように大衆のリーダーとしてローマ軍を追い出し、自分たちの国を作ってくれるはずの人物だとの期待は、露と消えたように感じたからである。しかしイエスが墓から蘇り、皆の前に現れたと言い始める人々が（旧使徒らを中心として）何人かいた。使徒ではなかったが、キリスト教というものをスタートさせる最も大きな力を発揮することになるパウロ（もともとユダヤ教ファリサイ派の「タルソスのサウル」という名だった）という男は、キリスト教に回心し、布教を始め、新約聖書二七書の過半を占める書簡を書くまでになる。当時、ヘブライ語

（アラム語）、ギリシア語、ラテン語を読み書きできるまれな人材であり、しかもかつてファリサイ派——ユダヤ教の異端（つまりイエスたち）に論争を挑み、逮捕できる後立ても持っていた——であったがゆえに、「救世主の条件」を知悉していたのである。

より重要なこととして、パウロの書簡は、紀元四八年頃から六四年くらいの間に書かれており、これらは四大福音書の中で最も古い「マルコによる福音書」よりもさらに古い。つまりのちの福音書執筆者らにとっては、手元の資料としては「パウロの書簡（また「Q資料」）くらいしかなかった」と考えてよい状況であったことは前に述べたとおり。

†根本の理由は誤訳

前置きが少々長くなったが、イエスが処女から生まれなければならなくなった理由——つまりマタイやルカがそのように書いた理由——の説明に戻るとしよう。実はこのような（ブサイクな）「つじつま合わせは必要がなかった」と言えば驚く人もいるだろうか。「すべては誤訳から始まっている」、というのがロバート・R・カーギルの説。パウロや他の聖職者が参照した旧約聖書は、俗に「七十人訳聖書」として知られるヘブライ語聖書のギリシア語訳の聖書である。その七十人訳聖書のイザヤ書には、「次の救世主は処女から生まれる」と書いてあったが、もともとのヘブライ語聖書で使われていたイザヤ書のその部分の用語は、単に若い女性を表す「アルマー」という語であったという。その解説部分をロバート・R・カーギルの文章で見てみよう。

その真偽はどうであれ、マタイによる福音書一章二三節が語るイザヤ書七章の預言の典拠が、イザヤ書七章一四節の七十人訳聖書の翻訳の結果だということは、確信を持って言える。（中略）七十人訳聖書は、ヘブライ語の「若い女性」「結婚適齢期の娘」を意味するアルマーを、ギリシア語のパルテノスと翻訳した。この単語は「若い女性」「娘」を意味するが、性交渉の経験のない女性つまり「処女」をも意味する。
イザヤ書七章一四節にパルテノスという単語を当てたのは、どう考えてもおかしい。ヘブライ語が明らかに「処女」を意味するベツラーだったら、パルテノスは正しい妥当な訳だ。しかし、ヘブライ語が「結婚適齢期の若い女性」の同義語アルマーである以上、訳語パルテノスは意外である。（前掲書、一六七―一七一頁）

これがわかった理由として、一九四七年にイスラエルのクムランの洞穴で発見された

「死海文書」の果たした役割が大きい。にわかには信じがたい話であるが、死海文書が発見される以前、現存した最古のヘブライ語聖書はロシアの図書館にある写本（一一五頁参照）であり、それとて一一世紀に入ってからのものであった。しかも容易に想像できることであるが、研究者のアクセスは容易ではなかったのだ。加えてヘブライ語とギリシア語のわかる聖書学者は、それほどいなかったこともある。

死海文書はそのタイム・ラインを一〇〇〇年以上戻すことになった。クムランのエッセネ派が書き写したとされるこの写本は、七十人訳聖書時代のテキストに近いものと考えられるからである。ちなみに七十人訳聖書は紀元前二世紀に完成しているが、元になったテキストはすべて焼失してしまっている。翻訳の元になったテキストは存在しない。

†翻訳こと始め

「七〇人もの聖職者、研究者、バイリンガルの人々が集まって、この誤訳はないだろう」と考えている人はいませんか。そんな人には、当時の翻訳がどんなものかを一度考えてみてほしい。

まず、辞書はない。異なる文法や動詞の変化形があり、男性名詞や女性名詞が分かれるケースもあるが、それも教えてくれる本はない。たとえ両方の言語がある程度理解できたとしても、それで翻訳できるわけではない。日本語なら丁寧語や敬語、謙譲語があり、男性と女性でニュアンスの異なるしゃべり方をし、加えて過去形や未来形をどう訳するのか、と悩むようなものと考えてほしい。当時はそのような文法すら、確立したものはなかったのだ。世界的に有名な「ウェブスターの英語辞典」を例にとるなら、ノア・ウェブスターが最初のヴァージョンを出版したのは一八〇六年。これは以前登場した禁書目録の出版年と同じである。わかりやすく言えば、一七世紀のシェイクスピアにとってすら、まともな辞書は手元になかった状況だったのである（ラテン語と英語間のものはあった）。

辞書がないということは、新語にも対応できない。その国にしかない伝統的なものや出来事まで、すべて知っている人はまれであろう。たとえば日本人が「AKBは超クールじゃないけど、いとをかし」とか「チョーウザイ⊗、ピエン」などと言った時、それを理解し、ニュアンスも含めて翻訳することができるのか、ということである。

ヘブライ語のアルファベットは二二字あるが、すべて子音である。従ってローマ字で「Ka（か）」も「Ke（け）」も同じ文字で表される。我々が「ヤハウェ」と呼ぶ神も、わかりやすく我々のよく知るアルファベットで示すなら「YHWH」となる。ヤハウェを「エホバ」と発音する宗派も存在するのはそのせいである。

その二二字の羅列をギリシア語に訳する時には、母音があるためある程度の発音はわかる。ちなみにヘブライ語もギリシア語も、紀元前一〇世紀頃に作られたフェニキア文字から派生し変化した文字を使っている。

あるテキストを六人ずつ分かれたグループの合議制で別の言葉に変える。その作業がどんなものか。ましてや旧約聖書はかなり厚い上に、ヘブライ語では使うがギリシア語にはそれに相当する語がないことも多々ある。そんな時に新しい語を造る作業も、やらなくてはならないのである。

もうひとつの問題は、ヘブライ語聖書は言葉と言葉の間にスペースを入れない連続書法（スクリプトゥム・コンティニュオ）で書かれている。たとえば「IAMABOY（I am a boy）」というふうにダラダラと連なっていて、どこで切れるのかわかりづらいのである。ただし、それは古いギリシア語も同じで切れ目がない。

英語を例にとると、「God is now here（神はここに在《ま》します）」という文が、「GODISNOWHERE」と書かれるわけで、これは切り方を間違えると「God is no where（神はどこにも在《まし》ませず）」となってしまう。意味は正反対である。

当時はエジプトから紙として「パピルス」という植物の繊維を使ったものを輸入していた。七十人訳聖書は、エジプトのアレクサンドリアで作業されていたので、比較的パピルスは手に入りやすかったかもしれないが、それでも高価で希少でもあった。インクは比較的入手可能で代用品もいくつかあった。しかし美しい字を書ける書記は限られていた。「七十人訳聖書に翻訳した」というのが、いかなる作業なのか少しはわかってもらえたものと思う。

（山本七平、2015、上、p.29より）最古の伝承写本レニングラード写本の冒頭部分

ヘブライ語の「アルマー（若い女）」の訳として、ギリシア語の「パルテノス」という語を使わず、若い女性を意味する（普通の）訳にしておけば、マタイもルカも大天使ガブリエルが受胎を告知にやって来る話など、デッチ上げずとも済んだはずなのは確か。ギリシア語で書

かれたイザヤ書にしかアクセスのなかったルカやマタイ（の記録者）を非難しても、せんないことかもしれない。

しかし、つじつまを合わせようとして、勝手な（見てもいない）話を伝えたのは彼らである。「（彼らにすれば）あったこと」をあったと証明しようとして、勝手なストーリィを作り上げたのだろう。それらは現在の歴史学という脈絡のなかでこそ、やっと否定できる類のものであるが、死海文書の発見がなかったなら、処女懐胎は今以上に信じられていたかもしれない。「つじつま合わせのフィクション」だという反論は、蓋然性の少ないものになっただろう。むろん生物学的に不可能な出来事であり、もともと極めて不自然な物語ではあったにせよ。

†不思議な不存在——あるべきものがない！

なかったことを示す方法論として、「もし（ポジティブ・プルーフ側が主張する事実が）あったなら、こういうことが付随的にあったはず」ということをストーリィとして提示することがある。少しややこしいが、そのような「付随的出来事の不存在をもって、非合理性を高め、なかったことの主張を強める」わけである。この「不思議な不存在（付随的出来事の有無)」が本項目で述べる内容である。「あるべきものがない」のである。

非合理性のレベルアップによって「主張を強める」ことだけでは、一〇〇%証明することにはなっていない。つまり不思議な不存在は、状況を有利にする補強材だと考えるべきである。

イエスの生涯を記述した書には、イエスは(ダビデが生まれたのと同じ)ベツレヘムで生まれたとある。これも旧約聖書に書かれた救世主の持つ条件のひとつである。されど一般に「ナザレのイエス」と呼ばれたイエス・キリストが、ベツレヘムで生まれたと考える根拠は多くない。と言うより、これもまた「つじつま合わせのフィクション」であることはほぼ確実だと考えられる。

†イエスの生誕地

旧約聖書(イザヤ書、ミカ書、ルツ記など)には、次の救世主は「ダビデと同じベツレヘムで生まれる」との記述がある。イエスの伝記を書くことになった時、福音書の名目上の著者たちが苦労したのは、「どうやってイエスがベツレヘムで生まれた物語を作るか」という点だったろう。イエスは旧約聖書の救世主の条件を満たすため、「ベツレヘムで生まれなくてはならなかった」からである。

臨月の近いマリアが、若い男性でも三日はかかる旅（ナザレからベツレヘム）に出る話は、何が何でも少々強引すぎた。その理由としてマタイは、ヘロデ王による「今年生まれる幼児をすべて殺せ」という命令から逃れたという話をヒネリ出した。むろんこんなことがあれば歴史記録に残らないはずもなく、史実からは一顧だに払う必要がない。たとえ布告が取りやめになっていたとしても、記録や何人かの記述だけは残るだろう。虐殺があったにせよなかったにせよ、「公文書や歴史家たちの記述に一行も登場しない」のは、著しく不思議なことである。ヨセフとマリアだけが逃げて、自分の子は助けるが他の幼児は知りません、という話もウソくさい（あってはならない、けしからん非倫理的な）話である。

ルカは住所登録制度を利用した。イエスの父ヨセフはベツレヘム出身だと仮定したのである。ルカのこのアイデアは、ヨセフ（つまりイエスの父）の先祖をダビデに比定しうる一石二鳥の策であった（ただしイエスの本当の父が神だと仮定するなら、DNA的にはダビデの子孫とは言い難い）。が、いかんせんローマ時代のこの種の住民登録は、「現在の住居に戻れ」という命令だった。「住民登録は、納税者名簿作成目的でなされていた」からだ。ナザレの大工であったヨセフが納税するのは、当然ナザレでなくてはならない。またロー

ローマ時代の住民登録（ギリシア住民、AD104年、エジプト出土、大英博物館蔵）

マ帝国の行政文書は比較的キチンと残されていることが知られているが、この種の記録は（イエスが生まれたはずのＢＣ四年頃には）ない。ルカが根拠とした住民登録令が、ＡＤ六年か七年に出されているのは事実であるが、紀元前後には出ていない。イエスが生まれた時にユダヤ地方を治めていたはずのヘロデ王は、ＢＣ四年にこの世を去っていることもあえて付言しておこう。

　こうしてマタイやルカが「あった」と主張するストーリィは、実のない空虚なものになってしまった。実際にあったと考えられる客観的な証拠は、カケラもないだけでなく、なかったとする証拠は、不思議な不存在という抗弁によりかなり蓋然性が高くなっている。

　思慮の足りない人か、特定思想に凝り固まっている人々にとっては「聖書の無謬性」という主張のみが前提としてあり、それが学術的に意味のないものであることはすでに述べた。そもそもマタイの記述とルカの記述とは異なっているのであるから、無謬性《むびゅうせい》を云々するなら、両方ともが実際に起こったという不思議な主張をする以外は、すでに矛盾を起こしていることになる。

†自然科学における「不思議な不存在」

「あるはずのものがない」ことを示すことによって、「あったという主張に疑問符をつける」という方法論は、社会事象にのみ用いられるわけではない。自然科学においてあるはずのものがないケースは、社会科学における非合理性の主張を上回るパワーを発揮することがある。たとえば犯罪事例において、現在の監視カメラ・システムに「映っていない」という事実を弁護側が（開示請求するなどによって）証明できるなら、それはある犯行手段の主張に対し、「不思議（というより不可能）な不存在という証拠による強力な反証」になりうる。高速道路などを含め、カメラに写らずに車で長距離の移動を（一定時間内に）することは、すでに無理な時代になっていると考えられるからだ。

一九七〇年、海洋地理学研究の研究者らが地中海の各所で調査をしていた。ウィリアム・ライアンとウォルター・ピットマンによる『ノアの洪水』（集英社、二〇〇三）には、その時のドラマチックな模様が時間を追って書かれている。著作を参照しながら話を進めよう。なお本の題名『ノアの洪水』は、その後黒海の調査をした時の仮説のひとつで、ここでの話とは直接関係はない。

地中海で海底の地層を調べるオペレーションは、石油を探すためのドリルを応用する。地層の標本は、標本採取筒という直径一〇センチくらいの一部透明になったパイプで行われ、地層の変化がひと目でわかるようになっている。

地中海の海底を掘削している時、何かがパイプをつまらせたというニュースが船内にもたらされた。ここからライアンとピットマン（二〇〇二）による文章を引用する。

そのうちの一人がライアンにバケツに手を入れさせ、そこに入っているのが掘削坑を崩落させた犯人だと教えてくれた。掘削クルーがドリル・パイプの底めがけて消火ホースから勢いよく水を噴射し、そこに詰まっている液状化した砂を取り除いて、標本採取筒を自由の身にしたのである。

ライアンは夜明けを待たず、暖かい朝食をとる間も惜しんで標本採取研究室へ引き返すと、バケツの中身を流しに開けた。そして、そろそろと水を流しながら、岩と思われる豆粒大の破片から泥を洗い落としていった。すぐにわかったのは、その岩が三種類しかないということだった。一つは黒い玄武岩で、かつて噴出する溶岩のなかに充満していた蒸気の泡によって形作られた無数の小さな空洞を持っていた。二つ目は淡い褐色で、塩酸をたらすと気泡を発して石灰岩であることを示した。三つ目は透明で、氷砂糖のような平たい面を持つ細長い結晶を含んでいた。その結晶は引っ掻くと簡単に傷がついたが、酸に反応して発泡することはなかった。砂利を洗いつづけているうちに、小さな貝殻に出くわした。大きさは鉛筆の尻に付いている消しゴムほどで、その多くは繊細であるにもかかわらず割れていなかった。さらに重要なことに、そのなかには海岸でよく見られるような、より大きな貝殻のかけらは一つも混じっていなかった。

（中略）そうやって洗い出したサンプルはすべてまったく同じタイプの三種類の岩石と小さな貝殻からなっていて、それ以外のものは一つとして見つけることができなかった。

（前掲書、九〇－九一頁）

ここにおいてライアンは、これは「混濁流（タービダイト）」と呼ばれる「大規模な地中の地滑りで起こったのではないか」という仮説を立てた。このような海水の地滑りは珍しい出来事ではなかったからである。ただそうすると奇妙なことがひとつあった。ライアンとピットの言を借りるなら、次のような疑問である。

浅海の生物である貝が海面から一マイルもの深海にいたということは本質的な謎ではない。なぜなら、それらもまた、ヴェスヴィオスの軽石をナポリ湾から深海へと運んだのと同じような奔流によってそこへ運ばれた可能性があるからである。

ライアンを驚かせたのは、そこにある岩石のタイプではなく、むしろ、そこにない岩石のタイプだった。〈混濁流〉によって深海へ移動させられた砂利には、大陸が浸食されたときの名残、つまり山を下り、氾濫原をわたる流れや川によって運ばれてきたものが混じっているはずであり、大陸の岩石の多くの種類、たとえば石英、雲母、長石といった鉱物の結晶を含有する花崗岩、片麻岩、泥質の細粒砂岩《グレイワッケ》（もっと古い山脈から運ばれてきた堆積岩）が含まれていてもいいはずだった。そういう本来あっていいはずのものが、ことごとくそこには欠け落ちていた。あるのは、海底の基盤岩（黒色玄武岩）、硬化した海洋堆積物（石灰岩）、そして、新しい透明な結晶だった。（前掲書、九一－九二頁、強調は谷岡による）

ここではそこにあったものだけではなく、なかったものが重要な手がかりとなっていることに注目してほしい。一握りのジャリや地層からは、（混濁流だったなら）あるはずのものが偶然ないということもあろう。しかしこれほど大量のサンプルで、全く見つからないということはありえるのだろうか。いやまずそんなことはありえない。だとすれば仮説のどこかが間違っているということである。

研究者たちは、いろいろな可能性を考え、それぞれが仮説を提示することになったが、ここで自然科学ならではのお手本とすべき方法論が登場する。

意見の統一ができないために、さらに掘削を行ない、どちらを取るかはそれを見て考えようということになった。だがその前に、**それぞれの仮説を唱える者たちが、自分たちの好むシナリオに沿ってきちんと系統だった予測を立てなくてはならなかった**。この遠征の最後の数週間で見つかるはずのものを**正しく予測しなかった仮説は、それに成功した仮説の代わりに放棄されることになっており、それが科学界の伝統的なやり方だった**。

（前掲書、九八－九九頁、強調は谷岡による）

このあと、「地中海に五〇〇万～七〇〇〇万年前に起こったある重大な事実」が解明されていくのだが、本論とは関係しないのでここでは省略する。興味のある人は『ノアの洪水』に直接あたってみられたい。重要なことは、まず（これまでの仮説に従えば）あるはずのものが存在しないという観察による事実であり、それは一定の仮説を完全に否定しうるレベルのものだった。さらにその上に立って推論がなされ、新たな（複数の）仮説が提示される。将来の予測を含めた新たな仮説が検証され、データによってそのうちのひとつが支持される、という全体の科学的事実確認のプロセスこそが重要なのである。

これは間接証拠――あるはずのものがない――ではあるが、自然科学世界では再現性があるため、一〇〇％と言っても過言でないほどの強力な根拠となりうるのである。

†現代の社会事象――徴用工の例

相手の主張することが実際あったと仮定するなら、なぜ起こるはずの事象が起こっていない（ように見える）のか。これが不思議な不存在の主張である。

何度も言及するように、社会科学（犯罪立証を含む）では、あったと主張（非難）する側が証拠を提示する義務がある。しかし、まともとは言えない司法システムであったり、マスコミも中立でなかったり、平気で証拠を捏造したり、統計や数字の勝手な解釈をしたりする国とも、論争しなくてはならないケースがある。そのような国に限って「（自分のことは棚に上げて、他人に対し）いわれのない非難をするものだ」、ということを我々は経験上よく知っている。そこにおいては、何もしなくてもよかったはずのネガティブ・プルーフ側である日本とて、可能なら反論する必要度が増している。

ちょうどよい例として、韓国が主張するいわゆる「徴用工（戦時労務動員労働者）問題」がある。これに関しては李宇衍《イ・ウ ヨン》による『ソウルの中心で真実を叫ぶ』（扶桑社、二〇二〇）という（調査方法論を教えている筆者から見ても）優れた著作があり、詳しい内容は省略するが、それを中心に話を進めよう。

大東亜戦争中、朝鮮半島の人々を強制的に連行し「日本の鉱山や工場で強制的に働かせた」とする主張が、日本に対する非難の中心である。二〇一八年一〇月三〇日、韓国の大法院は日本製鉄（当時の新日鐵住金）に対し、原告の四人の韓国人に慰謝料（一人あたり一億ウォン）を支払うよう命じた。応じないなら、「韓国内にある日本製鉄の資産を差し押さえる」との宣言も加わっていた。この四人の訴訟は皮切り的な裁判で、あとには何百件の訴訟が続くものと考えてよい状況であった。

李宇衍は、原告四人の給与実態を各企業の記録――給与明細などの書類――にあたって詳しく調べ、未払金は「あるとしても二ヶ月分がせいぜい」であることを実証。その二ヶ月分とて、終戦で急遽帰国するあわただしさの中で生じたものに過ぎなかったことをつきとめた。

その他原告の就労が、メディアの主張するような強制動員や徴工ではなく、給与に関する規定についても日本人と差もないことを示した。むろん熟練度や扶養家族数などにより、表面上の給与差は存在したケースにせよ、（李宇衍は）計量経済分析によって、「（その差が）民族の違いによるものとは認められない」との結論も提示している。

百歩譲って、何ヶ月分かの支払いができなかったケースによる不利益を被った韓国人がいたとしても、それは一九六五年に解決済みの問題である。そのことは日韓正常化協定の中に明記されていて、支払いが必要となった場合に韓国政府が支払うために、日本政府が出した無償の援助金は、わざわざ「特記を加えて上乗せ」されている（伝聞である）のである。それは両国で保存される議事録にも残る（はず）。事実関係を追うだけでかなりの量になるため、ここでは内容に立ち入らない。興味ある人は李宇衍の著作やその他の文献に当たってもらいたい。

ここで本来のトピック（不思議な不存在）に戻りたい。徴用工問題における不思議な不存在は、李宇衍（二〇二〇）に書かれた文章中にある。彼があるべき方法論として、次のように述べている部分をまず読んでいただきたい。

・歴史研究で重要なのは実証性である
歴史研究において、私が特に重視しているのは、**第一に、実証性**である。

私は経済学者である。しかし、経済の歴史を扱うという点では歴史学者でもある。経済学は論理だけでなく、証拠の科学である。これを歴史に適用すると、実証主義歴史学である。そのため私は実証性に最も注意している。また、**韓国の歴史学界における韓国史研究は実証性に欠けているため、さまざまな歴史歪曲を生み出し、神話を創出している。**韓国史研究のこのような積弊を打破するためにも、私は今後も実証をすべての研究の第一歩とするつもりだ。経済学者であるからには数字で語ろうと思う。

第二に、論理性である。

韓国の歴史学界では驚くべきことに、合理的な論理性が欠けているケースが多い。前でも例を挙げたように、**たとえば「強制連行」「強制労働」であったなら、なぜ朝鮮人は抵抗しなかったのかを説明する必要がある。**しかし、こうした説明の義務は果たされていない。

第三に、研究史的な見方である。

韓国史学界の歪曲された歴史像と神話は、その起源をさかのぼってみると、第一で述べたように、実証的な根拠がなく無責任に主張されたとある先行研究があって、そこに根本的な責任のあることが多い。すなわち、いまや学界の通説として理解され、国民の常識になっている主張は、いったいどこに起因しているのかといえば、それは**互いに互いの説を引用しながら通説になったのである。始まりとなるのは、納得できない無責任な主張である。**

学界の通説をこれ以上「真実」として受け入れず、互いが互いを引用しながら事実のように確定してしまう悪循環を断ち切り、進んで疑問を抱き、その主張がどこに起因しているのかを最後まで追求する必要がある。（前掲書、三一－三二頁、小見出し以外の強調は谷岡による）

この文で李宇衍は、学者としての良心に訴えかけている。現在のトピック（不思議な不存在）に関するのは、「第二に、論理性である……」以下で、強制的に徴用され、働かされたのが事実であるなら、「なぜ朝鮮人は抵抗しなかったのかを説明する必要がある」と述べている点である。当時そのような訴えも記録もニュースも「なかった」という事実が、実態は「強制などはなかったと考える立場の強力な補強証拠」となっているという意味である。李も述べているように（なぜないのかという理由を）説明する必要があるのは、あったとする側である。なぜなら非難したのは韓国側であり、しかもネガティブ・プルーフ例の李宇衍が「不思議な不存在による非合理性」の抗弁を行っている（しかも成功しているように見える）からである。この部分の記述は、筆者の分類による「不思議な不存在による非合理性の主張」と重なっている、というよりほぼ同じものである。

この種の（神話的捏造の）ロジックは、あったとする側が、根拠なく後に作った文章や映像によって増幅・加速して広がっていく。強制労働に関しても、デタラメな映画が作られたり、国連の機関で報告（という名のウソ）を行ったりして、あたかも事実であったかというフリをしている。その起源となる証拠は、李宇衍が「第三に、研究歴史的な見方……」という部分で主張するように、根拠のない無責任なものである。

このような非合理性の——つまりここでは、それが実際に起こったことなら、なぜ記録も証言も記事も残っていないのか（つまりそれは「なかった」のだろう）——内在する自己矛盾は、中国や韓国が主張する多くの非難に共通して見られる現象である。もし南京で何万人もの単位で虐殺が本当にあったのなら、三ケタもいた海外の記者や牧師たちはなぜ記録していないか、という疑問点に対する的確な回答はない。また従軍慰安婦問題でも同じことが言える。強制的に若い女性を連行したなら、その家族や同じ村の男性たちは何をしていたのか、指をくわえて見ていたというのか。韓国民とは、そんなに情け無い民族だったのか、と。

†統計解釈

現代社会の変化が数字で示された時、人々はその背景にある原因（因果関係）を探す。たとえば自殺者が急増すれば、不況や失業、あるいは別の原因がどこかにあるはずだと考えるものだ。それはそれで正しい方向性である。

問題は、統計値の不自然な推移に対し「手前ミソのストーリィ」を展開し、それこそが唯一の事実だと強弁しがちな研究者や、（メディアの）記者が存在することであろう。

ひったくり多発エリア地図と、東大阪市「CCTV」

犯罪の例として、東大阪市の「ひったくり」を考えてみよう。二〇一九年一二月一〇日、そのひったくりが大幅に減ったという記事が出た。

日経新聞の棒グラフによると、二〇〇〇年に一〇九七三件あったひったくりは、二〇一八年には四〇〇件と二七分の一にまで減少している。東大阪のひったくりは有名で、長い間全国ワースト一の汚名を着せられていたが、やっと減らすことに成功したようだ。

警察はこの理由を「防犯カメ

ラの普及」のおかげだと考えている。つまり防犯カメラの設置を原因とし、ひったくりの減少を結果とする因果関係が、実際にあったと考えているわけだ。この分析はおそらく正しい。

このように社会問題に対し、何らかの対策がなされ結果を出したことは喜ばしいことであるが、我々統計分析に携わる社会学者は、このような明白な因果関係を示されても常に「本当にそうか?」と考えるくせを持つ。そして他の都市や町村でも同様の傾向が報告されるまで、事実として認めない研究者もいるかもしれない。ただし、このひったくりに関しては、背後にある合理性——自然なストーリィ——が納得できるレベルのものであるため、少なくとも筆者は疑っていない。

†妥当性

社会科学では、データを分析し統計学上の有意性(九五%)が得られれば、一応の証拠とみなしてよいと(前に)述べた。ここで言う証拠とは、特定事象と特定事象間(もしくはより多くの事象間)の関連性であり、この事象という言葉を通常「変数(variable)」と呼んでいる。関連性は相関関係と因果関係に分かれるが、話がややこしくなるといけないので直接の因果関係（「X→Y」と表す）に限定しておこう。因果と相関の違いについて、より詳しく知りたい人は、拙著『「社会調査」のウソ』（文春新書、二〇〇〇）や『データはウソをつく』（ちくまプリマー新書、二〇〇七）を参照せられたい。

さて、「防犯カメラがひったくりを減少させた」という例のように、XがYを引き起こす（影響を与える）という仮説を検証し、九五％レベルで正しいという結果が得られたとすると、それは一応「認められた事実（関連性がありそうな変数間の関係）」と扱われる。その仮説の挙証責任は、それを提唱した者にあるが、関連性（因果）が認められるには、統計上の事実以外に「なぜ（Why）」という背景を説明できなくてはならない。この点は刑事審判における「動機」の記述が必要であることに似ている。

このなぜなのかという説明力は、これまで「皆が納得するストーリィ」と呼んでいたが、正しくは（専門的には）「妥当性（validity）」と呼ぶ。つまり説明責任における説明とは「妥当性のことだ」と言ってよい。

妥当性にもいろいろな下部要素があるが、詳しく述べるつもりはない。妥当性とは、ここでは「皆が納得する論理構成や理屈」だと考えてもらってさしつかえない。かりにあるスーパーで紙おむつとビールの売り上げカーブが同じ傾向を見せ、統計データ分析をしてみると九九％レベルで有意だったとしよう（実際にそのようなことが観察された）。それを発見した研究者は、「紙おむつとビールの関連性」を（演繹的な手法でないため正当とみなされないかもしれないが）論文にまとめるかもしれない。その論文には予想（不充分な仮説）でもよいから、「なぜ」が記述されていなくてはならない。観察された「単なる相関だけでは、妥当性がない」からである。

「ビールを飲むとトイレが近くなって、おむつの使用が増える」などと論文に書いても、バカにされるだけなのは間違いない。二つの品が同時に売れる現象には、実際ちゃんとした理由はある（しばし考えてみて下さい）。

皆が納得する説明には妥当性がある。つまり、「合理的に因果関係が理解できる」わけで、逆に「妥当性のない説明は、非合理性がアップする」と考えてよい。モーセのエクソダスにおいて、南ルートが非合理的だと考えたのは、皆が納得できる説明が存在しなかったからである。妥当性が欠如していたのである。

南京大虐殺の例で中国が日本軍を非難するにあたり、かりに虐殺があったとして、「なぜ」そんなことをやったかという納得のいく説明は存在しない。そんなことをして誰も得しないばかりか、かえって損をすることは、普通の思考能力があればわかる。つまり、中国の非難は（ウソの）事実関係の主張だけで、まずもって妥当性のない非難と考えてさしつかえない。

†信頼性

ビールと紙おむつの調査結果は、たまたまそのような結果となった例外かもしれない。有意レベル九五％なら、「二〇回に一回くらいそのようなことが偶然起こる」こともないではないと言ったのを思い出してもらいたい。

ところが、同様の調査が何回か繰り返され、その都度似たような結果が観察されたとすると、徐々に偶然の可能性が消え、必然に近づいていく。これは（仮説検証結果の）「信頼性（reliability）」が増した状態だと表現する。測定が安定的に同傾向を示すことによって、（統計上は）九五％が一〇〇％に近よっていくのである。

妥当性と信頼性、どちらも仮説検証に必要なものとされるが、どちらがより重要かと問われると、答は「妥当性」だと言わざるをえない。明治大学の安藏《あんぞう》伸治教授が、わかりやすい図で妥当性と信頼性の重要度を示してくれている。

知りたい仮説が的の中心である。左端のⓐは、狙った的に当たり続け、かつ安定してい

妥当性と信頼性（安藏伸治氏の講演メモより）

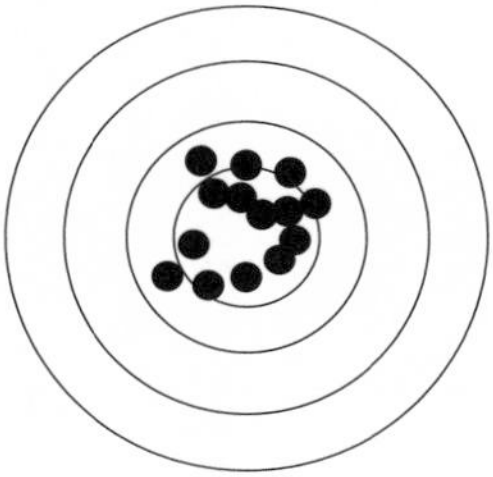

ⓐ

妥当性○
信頼性○

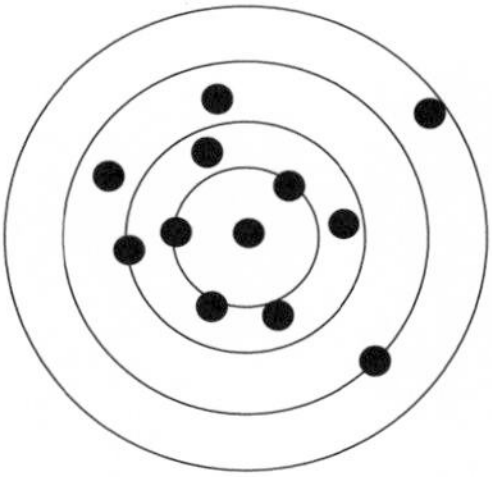

ⓑ

妥当性○
信頼性×

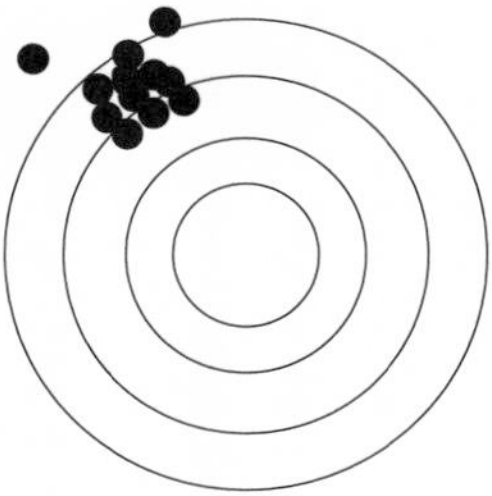

ⓒ

妥当性×
信頼性○

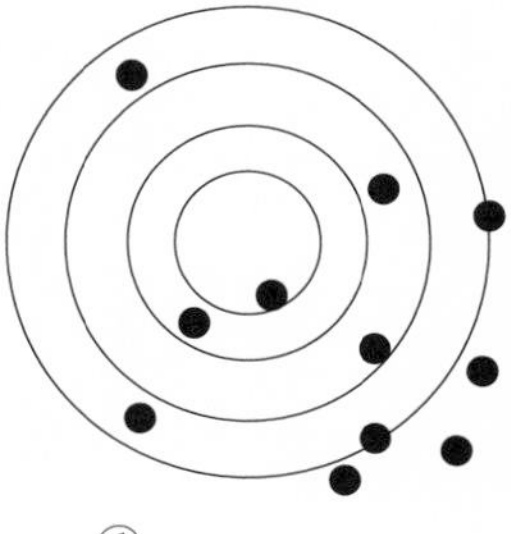

ⓓ

妥当性×
信頼性×

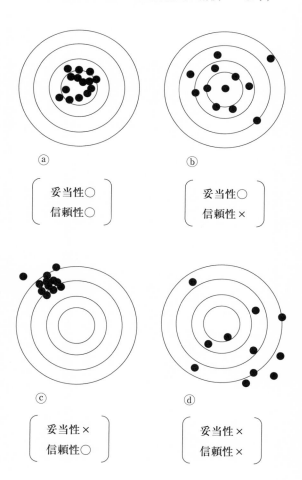

ることから、妥当性も信頼性もある（望ましい）状態。ⓑとⓓは弾がバラけていることから信頼性はあまりない。ただし、ⓑはなんとなく的の中心に集まる傾向があり、その点で妥当性はあるようだ。ⓓは信頼性も妥当性もない。ⓒは大変安定していて、信頼性はあるが、そもそも狙った的がおかしい。常に一〇％ずつ軽く表示する体重計のように、そもそも「計りたいこと（ターゲット／的）に対する妥当性がない」状況である。

四通りの図を比べてみると、なぜ妥当性の方が信頼性より重要と考えられているのかがわかる。妥当性さえあれば、計測装置の改良もありうるし、何度か繰り返すうちに全体像が見えてくるものである（ⓑを参照）が、ⓒのように妥当性のないケースは、どれほど安定していようと、永遠に真理に到達することがない。妥当性が重要視されるゆえんである。なお、妥当性のある仮説の信頼性が増すことを理論の「一般化」が進むと表現する。一般化された理論は社会的事実として受入れられる。

研究者もメディアも（そして特定の国も）、統計解釈を自分たちの都合で行ったり、取捨選択したりすることがある。その解釈がどれほど非合理的なものであっても、多くの人々は統計値を示されるだけで、何となく説得されてしまうのである。

社会科学の方法論においてまず教えられたのは、「常に数字を疑え」ということだ。たとえば学会において、他研究者の勝手な解釈を放置すれば、それは一人歩きを始める。その勝手な解釈があなたの持論と異なるなら、あなたの方が（たとえ合っていても）悪者にされるかもしれないのである。

†社会調査のウソ

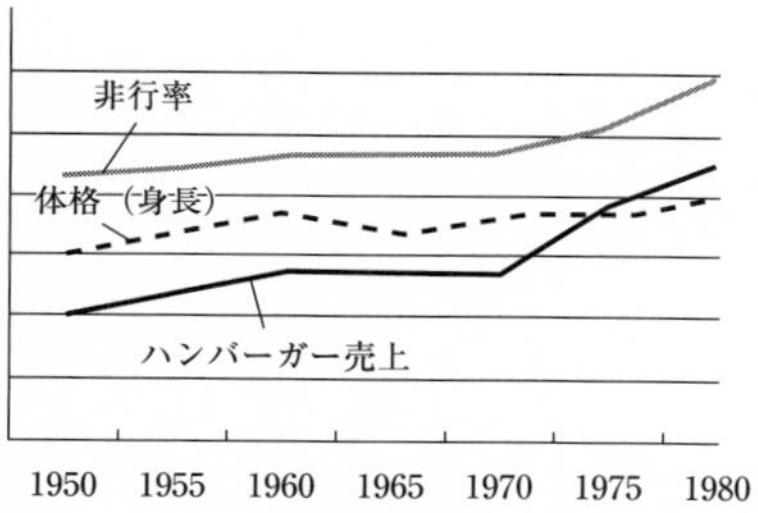

非行はハンバーガーが原因？

我々研究者が疑り深くなったのは、過去にかなりアヤシゲな例を見てきたせいかもしれない。一例として、三〇年以上前に犯罪関連の学会でなされた発表のグラフ（あとで思い出したメモ書きなので、ズレはあるだろう）を見ていただこう。

発表者は、このグラフを示した上で、「戦後の少年非行件数は、ハンバーガーの消費量（および体格の変化）とともに増加傾向にある……」と主張していた。当時神戸大の教授をしていたM氏が手を上げ、こう尋ねた、「それって単なる偶然というか、見せかけの相関というものではないですか」と。

「見せかけの相関」というのは、別の要因で偶然に相関があるように見えてしまう現象で、社会科学ではよく起こる。特に時間（時代）を変数とした変化グラフなどは、見せかけの相関がよく起こるので注意せよと教えられる。

筆者もM教授に続けて挙手し、こう聞いた、「そのグラフのハンバーガーの代わりに、紙おむつをグラフに表示しても、ほぼ同じ結果となるはずです。発表者は、紙おむつが非行の原因と考えられるのでしょうか」と（ついでに少々ウケた）。

紙オムツでなくとも、ピザでもグリーン・アスパラでも、はたまた色物Tシャツでも「ガリガリ君」でも何でもいい。時系列的に増えているものと比べるなら、いかにも同調しているかのようなグラフが現れるはずだ。

ここにおける問題は、「因果律として提示されたポジティブ・プルーフのストーリィが、皆を納得させうるものであるか否か」につきる。

「ハンバーガーが非行を引き起こすかも」と言われると何となくうなずいてしまいそうになるが、「グリーン・アスパラが非行を……」と言われると、ちょっと待てよと考えるだろう。ただし、ハンバーガーが実際に（間接的やその他の因果律で）非行と関係があることを（この時点で）「否定していない」ことには注意しなくてはなるまい。

別に筆者は紙オムツにこだわりがあるわけではないが、ビールと紙オムツの売上げに相関があった理由、わかりましたか。

こたえは「車で運ぶ、かさばる、もしくは重いモノは、週末にまとめて買う」ことが多いからである。車を運転できたり、大きな（重い）荷物を積んだりするには、まだ男手に頼る地域が多い。こうしてアメリカのスーパーマーケットなどでは、両者の売上げに相関が出たのである。いくつかの地域では、あてはまらないこともあるだろう。

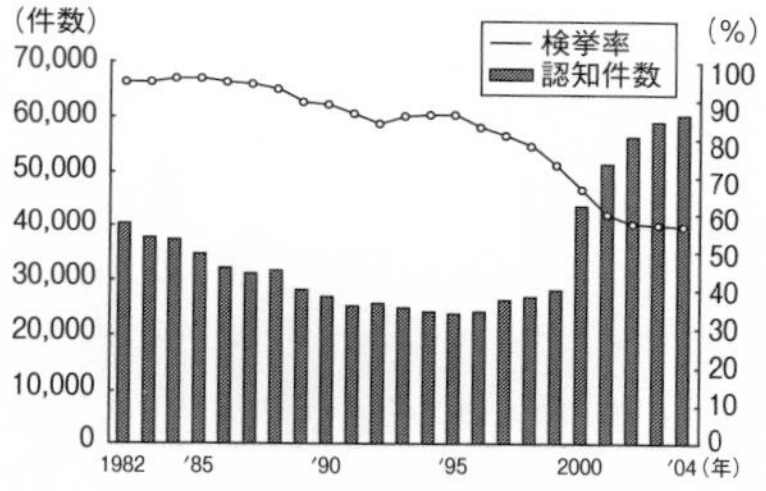

暴行・傷害の認知件数・検挙率の推移
（出典：警察庁の統計による）

別の因果の可能性

準備運動的に、ポジティブ・プルーフにおける自然・不自然さに関する例を見てもらった。このあとはもう少し難しくなるので、よく考えてみてほしい。まずは予備知識なしにグラフを見ていただく。

この棒グラフと折れ線グラフは、「暴行・傷害の認知件

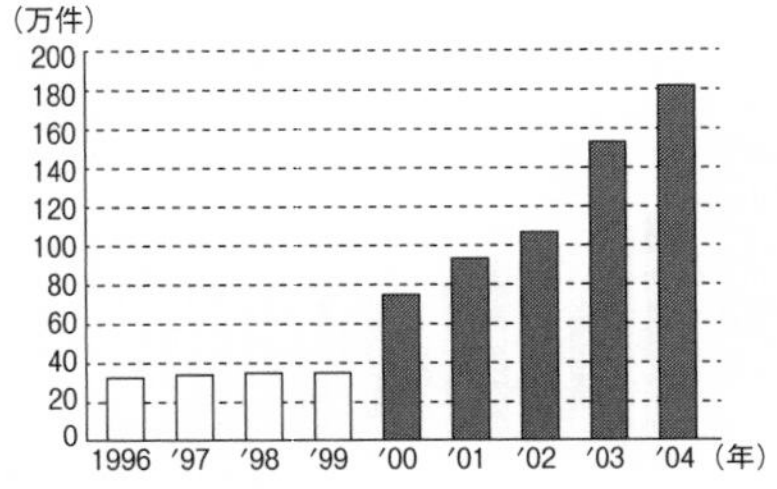

警察安全相談件数の推移
（出典：警察庁の統計による）

数と検索率」を表している。今世紀に入って、暴行・傷害が急に増加し、逆に検挙率は下降傾向にある。新聞紙上などで、「わあ、大変だ」と紹介されていた図である。ここで変化の原因を考えてみてほしい。

まず、知っておいてほしい教訓は、この世の中、「よほどの確固たる原因がない限り、統計値は急に変化するものではない」という事実である。逆から言うなら、確固たる要因（ストーリィ）なしに統計値が急変した時は、何かの別の要因――たとえば統計のとり方の変更――があるものと考えた方がよい。このグラフを見る限り起こっている変化は、妥当性のない非合理的なものでしかない。

たぶん犯罪学者のうちの数％しか知らないであろうこたえは、一九九九年に起こった「桶川ストーカー殺人事件」と関係がある。ある女性が「ストーカーがいる」と何度も相談したにも拘らず、地元警察は「何かあったら知らせて下さい」と放っておいた（「前さばき」と呼ぶ）。そして殺人事件になったという事例である。

メディアからの批判を受けて、当時の警視庁長官は各地の警察所に通達を出した。今後は些細に見える事件でも、前さばきせず記録し、対応せよと。前さばきを無くすと事件数は増える。その結果がグラフの急増となったわけである。この話は、犯罪学者仲間である河合《かわい》幹雄教授（桐蔭横浜大学）と浜井浩一教授（龍谷大学）から聞いたことを明記しておきたい。

このような例のように、統計や因果の説明では、妥当性の無い（薄い）ものが存在する。その時、勝手なストーリィを提示する人々に対し、より強い反論は「相手以上の皆が納得するストーリィを提示できるか」ということに尽きる。非合理性を打ち破るのは、より強い合理性しかないのである。

V 間接補強証拠・要因

——証拠とデータの判断、討論の決着

お互いの主張の展開において、どちらかが決め手となる（一〇〇％に近い）直接証拠を提出した場合、論争はそこで打ち止めとなる可能性が高い。負けた方が潔く負けを認め謝罪するとは限らないが、少なくとも傍目（客観的）には、どちらの主張が正しいか（少なくとも「正しそう」か）はおおよそわかる。

反論する側（ネガティブ・プルーフ）から出される証拠としては、「不可能性」がほぼ決め手となり、次いで「非合理性」の指摘も、場合によっては強力な証拠（補強材料）となりえることを前二章で見てきた。本章で解説する「間接補強証拠・要因」は、主張に対する直接の証拠たりえないにせよ、一般人をして「正しい主張をしているのがどちらであるか（その可能性が高いのでは？）」という判断材料となりうるものである。

†情報・証拠へのアクセス拒否

内容としては大きく三つに分けて「情報・証拠へのアクセス拒否」、「公開討論忌避」、「主張内容の変化」であるが、それらはさらに細分化される。間接補強証拠・要因は、直接の証拠には至らなくとも、より重要な効果として「挙証責任がどちらにあるのか」という立場を（一般人に対し）明白に示すことができる点が大きい。挙証すべきはむろん、有効な間接補強証拠・要因を提示することができたネガティブ・プルーフ側ではない。

それでは順に解説を加えよう。

刑事裁判において、検察から提出された証拠は弁護側が吟味・精査できる。また必要な証人を強制的に（国費で）喚問することも許される。国vs.私人というハンディある争いが、少しでも公平な条件に近づくための「憲法に基づく人権思想によるもの」であることは前にも述べた。

ここにおいて、非難される側――つまりネガティブ・プルーフ側――は、情報・証拠へのアクセスが保障されているわけである。少なくとも国内においては。

†物的証拠

刑事事件では、物的証拠が有罪の必要条件である。逆に言えば状況証拠だけでは、たとえ限りなく疑わしくとも有罪にしてはならないという原則がある。

DNA鑑定可能な遺留品や、指紋の付着した物が犯行現場で見つかれば、それらはわかりやすい物的証拠となりうるが、世の中そんな簡単なものばかりではない。たとえば「賄賂で受け取った金はこれです」と札束を提示されても、指紋がないなら確定はできない。

特に古い（番号がバラバラの）札は、それが存在した口座や銀行の特定も不能である。

こうした困難さもあり、物的証拠は、公的記録、データ、電子情報、映像などでもよいとされる。昨今はスマホのやりとりなども、物的証拠として採用されている。パソコンやスマホの記録は、消したように見えて消えていないことがあり、専門家には復元可能なケースもある。夫婦で議員の河井克行氏・案里氏が二〇二〇年六月一八日に逮捕されたが、その決め手になったのは、議員会館にあったパソコンの（消したつもりの）データ復元であった。河井克行氏が、このように「隠そうとした」事実は、裁判において間接補強証拠・要因となりうる。そして掘り起こされたリストは直接の物的証拠である。動かしようのない証拠と証言を示され、河井夫婦は二人とも令和三年三月までに議員辞職したことが報じられていた。

†データと記録

前に言及したが、筆者のデータ使用許諾申し込みに対し、厚生労働省はギャンブル依存症関連の生データを（なんだかんだと言いのがれて）開示しなかった。データが存在してもアクセス不能なら、そのデータは無いことと同義。研究者であっても刑事審判でもない限り、使用させてもらえないデータは少なくないのが現状である。

産経新聞に「モンテーニュとの対話──「随想録」を読みながら」という連載がある。二〇一九年四月二六日は「上野先生の祝辞を読む」という題（文化部、桑原聡による）だったが、上野千鶴子東京大学名誉教授が、入学式で祝辞を述べたことに関する内容である。記事中で社会学者、古市憲寿《ふるいちのりとし》氏との対話を紹介した部分がある。

古市　上野さんはずっと敵がいたわけですか。

上野　そう。だから戦略的には動きますよ。私は経験科学の研究者だから嘘はつかないけど、本当のことを言わないこともある。

古市　つまり、データを出さないこともある？

上野　もちろんです。

（不利になると考えると）「本当のことを言わないこともある」との思想は、筆者の感覚では理解できない。上野は自分を研究者と称しているが、研究者とは「真実に近づくために努力を重ねる人々」だと思っていたからである。筆者にとって（そして古市も同様と思われるが）「データを出さない」ことは、（本人は「嘘はつかないけど」と述べているものの）不作為によるウソであり、研究者としてやってはならないことである。戦略的にデータを出さないことは、世の中を自分の都合で誘導しようとする行為であって、研究者・学者（そしてなにより教育者）としては正しい方向性を持っていない。教員を雇う立場として考えるなら、「こんな先生はイラン！」としか言いようがない。こんな人の祝辞を聞かされた若者たちがかわいそうでならない。

筆者は、八〇年代の大半をアメリカの大学院で学んでいた。そこでは論文や報告書で使用されたデータは、請求があれば開示する義務がある。対立する立場の研究者らは、生データや方法論に瑕疵《かし》がないかをチェックしたり、別の分析をしたりすることに使用する。もし生データを開示しないなら、その論文などはそもそも存在しなかったものとみなされるのである。ましてやデータの改竄や捏造は、犯罪行為同等レベルとみなされ、アカデミズムの世界からは追放されるだろう。

一介の研究者は追放されても、有名大学の教授や公的機関に属する研究者は、守ってもらえることがある。手元に二〇一九年一月二二日の朝日新聞の記事（勤続時間に関する厚労省の不正事件：法で決められた全数調査をしていなかった）があるので、それを見ていただこう。

「毎月勤労統計」をめぐる問題で、厚生労働省が調査のマニュアルにあたる「事務取扱要領」から不正な手法を容認する記述を削除したのは、総務省の統計委員会がこの統計の調査手法の点検を決めた直後だったことが二一日わかった。不正を隠すため、点検前に削られた疑いが濃くなった。

二〇〇三年　不正な抽出調査を容認する事務取扱要領を作成
〇四年一月　東京都分で約三分の一を抽出する不正を開始
一四年一〇月　統計委員会の部会が勤労統計の調査手法の点検を決定
一五年　一月調査分の取扱要領から不正を容認する記述を削除
一二月　統計委が毎月勤労統計の点検を開始
一六年三月　統計委が点検結果を公表。不正は指摘されず

このケースは「データ収集の方法の変更を隠す」という事例である。間接補強証拠・要因の一種であるが、筆者の定義では立派な犯罪である。この行為を行った者の名前は出て

こない。

新型コロナ・ウイルスへの対策を協議する専門家らによる委員会の「議事録が存在しない」との答弁を受けて、野党を中心に批判の声が上がっている。議事録を作成しないのは「自由な意見を聞くため」との説明であるが、幸い速記録はあるようなので、そのうち見ることができるかもしれない。この例のように、議事録を作成していない理由があり、イザという時のための何らかの記録があるケースは、比較的問題のないケースである。

議事録から特定の発言や発言者の名前が、いつの間にか省かれていることがある。筆者の所にもよく議事録が送られて来るので、一応自分の発言部分は、間違って書かれていないかをチェックするが、気づかずに抜け落ちているものもある。そのあたり、官僚たちの作文のうまさは特筆すべきものがあり、うまく言質をとられないように作成されているのが常である。具体的には、こちら側に「言ったのにない」という根拠を提示する手段がないのでやめておくが、確かにそういうことが複数回あったのだ（信じてくれ～！）。

しかし、これらはまだカワイイ部類。森友学園に関する土地売却とか、桜を見る会の出席者名簿などは、何らかの理由による文書の処分によって、誰にも見られなくなったのは記憶に新しい。「桜」の方は、個人の主催する宴会とはいえ、公費もかなり使われている。

ましてや土地売却の件は法律行為を遵守できていない。この種の証拠の消失――不可解な消失――は、一応（実体はどうあれ）法治国家を標榜する我国において、恥ずべきことである。ただし首相夫人は関係が証明されていない事案であることは再度確認したい。

この種の不自然な「証拠の消失」は、消失した側――ネガティブ・プルーフか否かに拘らず――の証拠力の蓋然性を弱め、逆に請求する側の間接補強証拠・要因を強化する。民主制の日本では、コソコソと隠した側の失点は、投票行動に反映される可能性に直結する。しかし一党独裁、もしくはそれに近い情報コントロールのできる国では、それが常套手段となることが多い。情報を隠すインセンティブは強大で、そうしない方向の力学は一部の（口での批判だけで、決して手は出してこない）国からの批判の可能性を除けば、ないに等しい状況だからであろう。

†考察

新型コロナ・ウイルスが広まりつつある中、オーストラリア政府は、二〇二〇年三月武漢の研究所への、第三者グループ（国際チーム）による立入り調査を要求した。それに対し中国は、オーストラリア産牛肉の輸入禁止措置を鎧の下に見せる脅しで返した。いや、その脅しは鎧の下に隠そうとすらしていなかった。

ここにおける間接補強証拠・要因の存在は、明らかに中国（の重大な失敗）を疑う側に有利である。なぜ脅してまで取り下げさせようとするのかと。また六月七日には、中国人のオーストラリアへの観光を禁止したが、これも露骨なイヤガラセに見える。「中国人旅行者が来ないと、困るのはアンタでしょ」と言っているように感じるのは、筆者がネジくれた性格だからではないような気がする。

おそらく「極秘のプロジェクトを盗まれる可能性があるから」などと、理屈をこねて拒否したフリをするのであろうが、世界的に有名なジャーナルに掲載された論文の生データも見られない、その本人にも話を聞けない現在の中国情報管理状況は異常である。

武漢の研究所にとって、査察の受入れは義務ではない。しかし二〇二〇年夏に報じられているＩＡＥＡによるイランの核施設への査察要求は、査察要求に応じる必要がある。イランも国連傘下のＩＡＥＡのメンバーであり、査察受入れを約束しているからである。

イランが主張するように（ウラン濃縮拡大が）「敵対国がでっち上げた悪意のある主張（産経ニュース二〇二〇年六月一九日）」なら、査察されても困ることはないはずだ。口汚くののしるだけで、何かを隠そうとするのは、「やましい国々」の常套手段のように思える。

なお、二〇二一年一月時点で、中国はWHOの原因究明チームの査察をやっと受け入れたが、この一年間に失われた（消された）証拠は少なくないはずだ。その時に出された生データの開示請求にはまだ応じていない（二〇二一年春）。ウイグルの人権問題に対しても威圧的に口汚くののしっていないで、本当にやっていないなら「どうぞ自由に見て下さい」と言えばすむ話である。

†証人

刑事審判において、検察側は国力を使って証拠を集め、保存し、証拠として提出する。個人宅や組織内でも、裁判所の許可のもと捜索し押収もできる。ところが他国にある場所には、立ち入ったり押収したりする権限はない。中国やイランの例を見てもらったとおりである。

同じことは、証人喚問に関しても言える。証人喚問の権利は検査側だけでなく、弁護側にもあるが、それとて国内（および日本人）に限定される。前にロッキード事件のコーチャン調書の話をしたが、反対尋問の機会のない証人喚問など、本来は許されないことは思い出してほしい。

コウモリのウイルスを研究していた武漢の石正麗《シージョンリー》教授へのインタビューは、中国以外の誰にもできていない。キーパーソンとされる石正麗教授や肖波濤《シヤオ・ボタオ》教授を隠し、誰にもアクセスできない状況に置くのは、やましさの裏返しであろう。新型コロナ・ウイルスの件は、隠すことによって、挙証責任が中国側に移行しているケースと考えられる。

二〇二〇年二月六日、華南理工大学の肖波濤教授は、「新型コロナ・ウイルスの考えうる発生源」という一文を研究者向けサイト「Research Gate」に投稿した。その全文は「Ｗｉｌｌ」誌（二〇二〇年七月号）で読むことができる（時任兼作、二〇二〇より。以下同じ）。そこには、武漢にある二つの研究所からのウイルス流出の可能性が生々しく書かれ、別の所からの可能性をほぼ否定している。ところがこの一文は、ほどなくしてネットから消された。都合の悪いものはすぐに消してしまう国であるから、それ自体はありそうな話である。問題は（ここで指摘したいのは）この「肖教授との連絡がとれなくなっている」ことである。行方不明なのである。

武漢の研究所でキーパーソンとして知られた石正麗《シージョンリー》教授も、事件が報じられ始めてから姿を消し、次に現れたのは五月二六日頃。中国のＣＧＴＮによるインタビューの形式で登場した。インタビューでは当然のように武漢の研究所からの拡散を否定している。ただし中国以外のメディアには、本人にアクセスできない状況が続いている（二〇二〇年六月現在）。

海外のメディアから研究所やそこで働く人々を隔離するのは、中国がよく使う手段である。余計なことを発言しないように注意――ここでは上品な言葉にしているが、家族らを巻き込んだアメとムチによる「注意」――した上で、自分たちの息のかかったメディアにのみ、予め決められた質問をさせるのである。

深く掘り下げた質問はさせない。たとえば石教授はインタビューに答え「我々が知っているウイルスの配列とは異なることが証明された」と述べている（読売新聞、二〇二〇年五月二七日）が、どの程度違っていたのか。あるいは、石教授自身は拡散していなくともそれ以外の研究員についてはどうか、といった（ツッコミのある）質問は許されない。つまり完全な出来レースなのである。

研究者のみならず、武漢にあった研究所の職員にもアクセスはできない。加えてコウモリを売っていたと（中国が）主張する市場の店もそこの店員もわかっておらず、市場で働いていた人々すべてにアクセスができない。むろん当局が封じているからであろうし、脅かしてもいるだろう。

†悪魔の証明ではない例

ここから先は、「中国当局が関与しているか否かの確証がない」ことを述べる。「Will」(二〇二〇年七月号)誌上で対談をしている河添恵子と孫向文によるものである。まずは、記事をそのまま引用しよう。

孫　米ペンシルベニア州ピッツバーグ大学医学部の助教授、劉兵氏(三十七歳)が自宅で射殺されるという事件が起きました。劉助教授の体には、致命的な銃創《じゅうそう》が複数見られたと。

河添　劉助教授は、顔見知りの中国人男性に殺されたようですね。しかも、容疑者の郭浩は殺害後に車中で死亡している姿で発見され、自殺を図ったというのが第一報でした。

孫　連続殺人事件の可能性があります。郭浩が劉助教授を暗殺し、中国政府が別の殺し屋を雇って郭浩を殺害……と。アメリカ側も調査しにくくなります。郭浩の自殺は見せかけではないか。

この劉助教授は、武漢ウイルスのためのワクチン開発の研究を進めていたという。要するにウイルスのＤＮＡ配列を含め多くの情報を持っていた。なぜか地元より早く第一報を出した中国メディアは、「不倫の上の情死」と報じているという。「Ｗｉｌｌ」で対談した二人は、当局による「口封じ」の可能性に言及しているが、たしかに「不自然の極み」である。河添と孫は武漢には関係しないものの、次のような事実も示している。

孫　中国当局はアメリカ当局の動きを牽制《けんせい》して、中国の検索サイトで「千人計画」と打ち込んでも、まったく出てこなくなりました。情報を隠蔽したのです。

河添　かつては「千人計画」に選ばれた人物のリストが、サイトに掲載されていました。ところが二〇一八年十二月一日、スタンフォード大学の物理学終身名誉教授で「千人計画」に選ばれていた張首晟氏が「飛び降り自殺」した。

孫　張教授の死はファーウェイのナンバーツー、孟晩舟《もうばんしゅう》ＣＦＯが逮捕された同じ日でしたね。

河添　それから間もなく、「千人計画」のサイトからリストがまず消えました。さらに今は「百度（Baidu）」で、その文言すら検索できなくなったということですね。

将来のノーベル物理学賞の有力候補だった張教授の飛び降り自殺についても、いろいろ思うところがありましたが、わかっているのは、張教授は早々に「千人計画」に選ばれた一人で、広告塔の役割も担っていました。

これらはいわれのない疑いかもしれない。しかし中国当局は、その疑いを「簡単に晴らすことができる」ことを再度強調しておこう。肖教授や石教授のインタビューを許し、武漢の研究所への第三者グループによる立入り調査を許可し、生データを公開すればよいのである。

インタビューについては条件をつけるべきだと考える。「家族を安全な環境下におき、海外で行う」のでなければ、本当のことを言わない可能性があるからである。なにもやましいことがないなら、その条件を飲めるはずだと考える。その条件を飲めないなら、疑う側の間接補強証拠・要因の蓋然性は上昇することになる。

自分たちの主張に「正しくない部分」――もしくは百歩譲って「証明できない部分」――がある側は、公開による討論を避けようとする傾向にある。たとえば韓国は、竹島領土問題について国際司法機関への提訴は、「当事者として受けない」という立場を貫いている。彼らの主張が正しいなら受けていいはずなのに、（李承晩《イ・スンマン》が）勝手にラインを引き、島を占拠し、日本側の抗議行動や言論に文句をつけ続けている。

余談だが筆者と息子は、むかしむかしソウルの国立博物館で、古い地図をいくつか見たことがある。それらすべてに、竹島は領土とされておらず、日本領土と記載されていたのである。次回（最近）訪れた時、その地図はもう展示されていなかった。さもありなん。

公開された討論といっても、いくつかの種類がある。

†生討論会

討論と聞いてすぐ思い浮かべるのは、壇上で丁々発止と論争する形式だろう。最近はテレビで、与党と野党がやり合っている番組などを見かけるが、そのような討論も生（ライブ）討論の一種である。

生討論のルールとして、仮に二つの陣営があるとすれば、両者に同じ程度の時間が保証される。相手の時間内は割って入ることは無作法だとされる。このルールが実行されるには、割と公平で機転の利く司会者が必要であるケースが多い。

司会者は必要に応じて発言に割って入ったり、三分以内にまとめてくれと頼んだり、場合により強制的にストップしたりすることもある。司会者が一定の権限を持たないと、勝手にしゃべったり居丈高にどなったりする者がいて困ることがある。むろんアドリブや適宜なツッコミはあってよいが、とにかく司会者には臨機応変の資質が必要なのである。

生討論の一番の欠点は、その場しのぎの勝手な発言に対応しきれない点であろう。やり込められた発言者の中には、その場で勝つためだけのデタラメを言う者もいる。論点をすり替えることもある。

一度深夜のディベートの生番組で、筆者らのチームに完全にやり込められた相手側陣営の一人が、筆者の陣営の一人の人身攻撃を始めたことがある。「あんたエラそうに言うけど、あんたの学歴詐称は皆知ってんねんで。ＵＮＬＶ首席卒なんて大ウソやないか」と。ちなみにディベートのトピックは、ギャンブル依存症対策とカジノ合法化についてであった。

司会役のお笑い芸人は、わりとうまくとりなしていたように感じたが、さすがに生放送でそれをやってはイカンゾ。

†紙上ディベート

生討論における、こうした欠点をカバーできる討論形式が「紙上ディベート」だ。まずもって、ウソは簡単に論駁できる。一度「マクファーソンの調書では、それは完全に否定された」というウソを壇上で述べられ、「その調査は見てませんが……」などと反論を展開したことがある。相手は壇上では面目を保ったが、実は（あとで調べてみたら）そんな調査は存在していなかった。逆にこちら側にウロ覚えのデータや論文しかなく、強力な証拠として提示できないケースも、紙上討論であれば問題ない。

紙上ディベートは、願わくば中立のメディア媒体が記事スペースを確保してなされることが望ましいが、どちらかの陣営に肩入れした出版物でも構わない。単に公表され、検閲をしないという約束があればこと足りる。

通常はポジティブ・プルーフ、もしくは相手を非難する側からスタートし、交代で同量のスペース（三〇〇〇～五〇〇〇字）が与えられる。半月に一回程度（一ヶ月で一往復）のペースが多いが、終わり方は少々難しい。予め何往復討論し、どちら側で終わるか決めておくのがよい。

紙上ディベートにおける証拠提示はより厳格で、示される論文著書（や証拠類）は、アクセス可能なものでなければならない。もしアクセスできない文献や映像が根拠として示されたケースは、それらが無い側に提供されることが求められる。

紙上ディベートの一形態として、一方的なディベート申込みがある。これは「公開質問状」の一種とも考えられる。むろん締切日を決め、一定の回答スペースは質問を出した側が保証することになる。多くはメディア間でなされるが、メディア媒体でないと「公開して質問していること」が世の中に示せないことによる。公開して質問しても、堂々と無視するメディアがあることは、言論人としてなさけないことである。

「公開討論を受けない」という態度は、ネガティブ・プルーフ側の間接補強証拠・要因として有力なパワーを発揮する。特別に手間やお金がかかるなら別の問題で、考慮の余地はあるが、論争を仕掛けた側――ポジティブ・プルーフ側――は、少なくとも他メディアからの公開質問に答える義務があるものと信じる。

「公開討論を受けない」というのは、学問的には（私見だが完全に）間違った態度である。公開討論を受けたくない理由はいくつかあろう。しかし討論を受けないところに学問・研究（つまり真理追究）の進歩はない。断るにしても、その理由は示す必要がある。それが公開討論そして学問の世界の掟である。

前に徴用工問題で登場した李宇衍（二〇二〇）は、「議会で質問すること」、「教科書作成によって真実を提示すること」などによる世にはびこる、「ウソをあぶり出す方法」を紹介した後、第三の方法として「公開討論の提案・投げかけ」をしている。本人の文章を引用する。

第三の方法は、左派団体と、反日種族主義を警戒する知識人たちとの間で行われる公開討論会である。『反日種族主義』の著者たちは、この本が刊行されてからいまに至るまで、継続的に討論会を提案してきたが、いまだ何の回答もない。

私が主催している「慰安婦と労務動員労働者銅像設置に反対する会」や「反日民族主義に反対する会」も、労務動員労働者像、いわゆる「徴用労働者像」が立てられるたびに、それを推進する全国民主労働組合総連盟（民老総）、韓国労働組合総連盟（韓労総）、正義連などに公開討論を要求してきた。しかし、ことごとく無視された。（李宇衍、二〇二〇、五四頁）

李宇衍は（おそらく）上品さを保つためか、公開討論の申し出が無視された理由として、彼の運動母体が弱小であるためだろうと述べているが、彼も我々もその「本当の理由」を知っているはずだ。それは「ウソがばれる」から、というごく単純な理由による。

自分がウソを言っていることを知っている者、自分が討論に勝てないことを知っている者にとって、負けないようにするための最も有効な方法は、無視・だんまりを決めこむことである。某新聞がよく使う手段であるが、無視されると、発信媒体のない個人にとって後続の手段はほとんどない。あとは（もし何らかの被害が発生しているなら）訴訟を起こすくらいか。

後続の手段はなくともはっきりしていることがある。公開討論を避ける側は、相手方の「間接補強証拠・要因をある程度認めている立場」にあり、説明責任を避けたい事情があるということである。公開討論を忌避することは、学術世界では負けを認めたことと同義である。

†主張内容の変化

徴用工問題も、従軍慰安婦問題も、当初の非難は現在のものとは異なっていた。徴用工に関しては、「軍によって強制的に徴用され」、かつ「奴隷のように、（無賃金で）働かされた」という主張だったが、いろいろな物的証拠や証言でそれが通用しなくなると、いつの間にか異なる主張になった。新たに登場した主張は、「民族間で賃金差別があった」、「未払い金が何年ぶんもある」という風に変わっていった。それらの主張も李宇衍らによって、（文献などで）否定されたのは、前述のとおりである。

従軍慰安婦問題も最初は、「軍人が少女狩りをして、強制的に性的な職に就かされた」というものであった。吉田清治なる人物の告白本を頼りにそのような主張をしていた（そしてそれを朝日新聞がウラを取らずに報じた）が、その本自体が完全な創作であったことを（証拠をつきつけられて）吉田本人も認めたという事案（というより犯罪行為）である。

†レーダー照射

このように主張が変わっていく状況は、事実を類推する際の間接補強証拠・要因たりえる。たとえば日本の自衛隊機に対し、レーダーを発し、ミサイルの照準をロックオンした事件は、韓国側は未だに非を認めていないが、その主張は表に見られるような変化をして

2018／12／20	レーダー照射（韓国の駆逐艦→日本のP1哨戒機）
12／21	日本からの抗議
韓12／21	「悪天候だったため、レーダーを使い、北朝鮮の船を捜していた」との回答。
日	（天候は良好、波も穏やかな映像を見せる）
韓12／24	「海自機の「特異な行動」による。カメラを向けたが電波放射はしていない」と弁明。
日	（高度計の記録、映像などにより、特異行動の否定。電波の記録も確認済。こちらからの呼びかけにも応答していない）
韓12／25	「通信が微弱だった。誤解解消への協議を求める」

（参考：産経新聞、2018年12月29日、韓と日は谷岡による付加）

いる。

ロックオンされることは、敵からの攻撃とみなすことができ、（国際的に）反撃を許されるレベルである。まず北朝鮮の船は、レーダーで総動員せずとも、波穏やかなすぐ近くにいた（映像にも船のただよう姿が映っている）。天候の言い訳が映像で通用しなくなると、開き直る。そっちが異常なコース（低空）を飛んだからだと。それも映像や記録された証拠で否定されると、今度は「聞こえなかった」と言う。海自機は「三つの周波で、英語で尋ねている」という記録も残っていると回答した。最後に「誤解解消への協議」を求めているのは、「何とか内々で手を打って下さい」という意味であるが、日本は大らかというか、大甘なので、これまでは「ま、いいでしょう、今後気をつけてね」という形で処理することが多かった。

このケースのように、国が言い出した言い訳すらコロコロ変わっていることは、とてもとても見苦しい。

†ブーメラン

元慰安婦の李容洙《イ・ヨンス》さんが支援団体の代表、尹美香《ユン・ミヒャン》議員に抗議したのは、彼女が実態と異なる内容のことを主張していたと信じたからである。日本政府と「最終的かつ不可逆的」な解決として交わした合意が、二〇一八年一月文在寅《ムン・ジェイン》により白紙化した問題である。この国と国との約束すら簡単に反故にする行為とて、「ああ、またか」という反応しか起こらなかったほど、何回も類似行為はなされてきた。別に驚くものではない。

最近は、慰安婦問題はあまり言及しなくなった。韓国が「イチャモン」のトピックを慰安婦問題から徴用工問題に変えたのは、活動家議員の存在が面倒くさくなったのもひとつの理由であろうが、さすがに国と国との約束を破ったことに少しくらいはやましい思いがあり、あまり触れたくなかったのもあろう。そしてもうひとつ明らかな理由がある。

それは従軍慰安婦問題は、各国（韓国も含む）に同様の制度が存在していたこともあるが、韓国軍隊がベトナム戦争時に、現地女性へのレイプによる子ども（「ライダイハン」少なくとも三〇〇〇人と言われる）を放り出して帰国したことを、別の国から追及されるに至ったことである（BBCで二〇二〇年三月に特集）。かなり以前から問題となっていた。

韓国政府は何十万人もの兵士によるレイプを認めていないが、DNA鑑定などへの協力は無視・拒否の態度を続けている。もし鑑定に協力すると動かぬ物証になるかもしれず、協力しないで無視する方がマシと判断したのだろう。

韓国は少なくとも国として日本と同じことをしていないはずの、徴用工の方で攻めることに方針を変えたようだ。イチャモン方針を変えてからも、慰安婦の問題はやめていない。国連を利用したイヤガラセや、根も葉もない少女像をシンボリックに展示したりという行為は続けている。

日本を非難する一方、何倍もの（三ケタは違う）非道行為が自分に返ってくる。この種の「どの口が言うか、オマエの方がひどいのに」という、同種の行為に対する反応（批判）は「ブーメラン・イフェクト」と呼ばれ、日本の野党のお家芸のひとつでもある。

ここ二〜三年に限定しても、鳩山元首相の「桜を見る会」の名簿が民主党の胸先三寸で作られていた件、改憲が必要だと菅《かん》政権では主張していたこと、コロナ下での緊急事態宣言が「早すぎる」と批判していた事例、などなど、いくらでもある。

ブーメランは間接補強証拠・要因と言えるか、あるいはギリギリの線にあるものと思われるが、少なくとも非難する側が過去に同様の行為をしていたことは、ポジティブ・プルーフ側の非難効果を弱めることにはなるだろう。

アメリカの大統領選の民主党候補者は、（二〇二〇年六月現在）バイデン氏に決まったようだが、二〇二〇年五月二八日の産経新聞に次のような記事があった。

（前部分略）現時点では何も断定できないが、一昨年に左派勢力が執拗《しつよう》に取り上げたものの具体的証拠が発見されず不問に付された、現最高裁判事で保守派のブレット・カバノー氏による過去の女性暴行疑惑と同様の結末をたどる可能性が出てきた。

ただ、カバノー氏とバイデン氏の事例では決定的に異なる点がある。カバノー氏の場合、セクハラを告発する折からの「ミー・トゥー（私も）」運動を背景に、民主党左派やフェミニスト系活動家らが「勇気ある女性の告発は真実とみなすべきだ」と同氏を一方的に断罪した。バイデン氏については、同じ勢力が当初、告発を無視しようとした。相手が仇敵《きゅうてき》の保守派ならば躊躇《ちゅうちょ》なく攻撃するが、身内のリベラル左派は擁護する。女性の急進左派の先鋒《せんぽう》、オカシオコルテス下院議員にいたっては「女性の告発を信用するが、バイデン氏に投票する」と語り、自己矛盾を露呈している。

左派フェミニズムの「偽善」と「二重基準」を暴いたという点で今回の騒動に一定の意味はあったといえそうだ。（黒瀬悦成）

この「ミー・トゥ」ブーメランの問題は、挙証責任の話題とからめて読むと興味深い。ある日突然、「この人がお尻をさわりました」と電車の中で叫ばれたら男性は痴漢とみなされるという、有罪が決定するまでは推定的に無罪と扱われる原則を無視した恐ろしい風潮が日本にもある。ただ常識で考えて、犯罪の立証は告発する側にあることは、何度も説明したとおり。痴漢に限らず難しい問題である。

さて、「世にもおぞましいブーメラン現象」を最後に二件紹介しておこう。両者とも韓国がからんでいる。

ひとつめは二〇二〇年六月、北朝鮮の金与正《キム・ヨジョン》氏が、開城《ケソン》にある南北共同連絡事務所の破壊を予告（のちに実際に爆破）した時の話である。南北軍事合意の破棄も匂わせた北の予告に対し、韓国の報道官は次のように述べた。曰く「（双方が）あらゆる合意を順守するために努力しなければならない」（日経新聞、二〇二〇年六月一五日夕刊より）

ふたつめは、二〇一九年八月三一日、産経新聞の「産経抄」にあったものだ。

「蟹《かに》は甲羅に似せて穴を掘るという。人の行いや考えは、身の丈に合ったものになるとの意味のことわざである。韓国の文在寅《ムンジェイン》大統領が、二九日の臨時閣議で展開した激しい日本批判を見て連想した。文氏はあろうことかこう訴えていた。「日本は正直でなければならない」」

あっけにとられた人も多かろう。（後略）

ま、ユーモアのセンスは認めざるをえない、か。

「なかったこと」の証明 VI
——武器になる反論とは

本著作は、「悪魔の証明」、つまり「なかったことをなかったと証明する」という、およそ無理か、あるいは著しく困難に見えることにチャレンジする試みである。「悪魔の証明も、ある程度まで方法論的に可能なのではないか、特に社会科学の蓋然性の範囲なら」という思いつきからである。著者が社会科学方法論を専門のひとつとしていることや、かつて刑事司法関連の学部で学んだことも幸いした。

ちょうど「桜を見る会」や「モリカケ問題」が、国会などで取り上げられていたこともあり、「与党議員も官僚も頼りないなあ。それにしても野党の人々はムチャクチャ言うなあ」と、テレビを見ていたこともあって、題材は豊富にあったことも幸いした。「もし筆者がなかったことを証明せよと言われたら、どうするのか」、と考えたのが本書の出発点である。

さて、「なかったこと」は証明できるのか。理論上は「非難が正しくない蓋然性」を集めることで、(あるレベルまで)不可能ではないことが示されたと思う。もう一度ネガティブ・プルーフ側からの反論の三大要素――抗弁として使える武器としての要素――をおさらいしておこう。

†十分な蓋然性に至る道筋

証拠のパワーというものは、状況によって変化するものである。ポジティブ・プルーフの側が、ある程度まで正しいと信じてスタートした非難とて、新たな状況展開により、それが「間違っている蓋然性が高い」ことを示されることがある。つまり証拠は「再度吟味すべき状態」になる可能性があるのである。

ネガティブ・プルーフ側の論理構成は、一〇〇%の証拠ではないかもしれないが、非難した側が追い込まれるだけの重みを持っているレベルに達したと（世の中大半が）判断したとしよう。その時ポジティブ・プルーフ側からの反反論あるいは再非難――つまり「最初に非難をスタートした側からの返答」――は義務である。

可能だと考えた非難が「不可能」だったケース。まともなストーリィと思っていた内容が「非合理的」だと一定の証拠をもって反論されたケース。そして「間接補強証拠・要因」としていくつかの対応をポジティブ・プルーフができなかった（しなかった）ケースで、それぞれ反論（抗弁）の蓋然性は上昇し、同時に反論の義務も上昇した。

ただし、これは「なかった」ことを「なかった」と反論するという前提の話に限定して

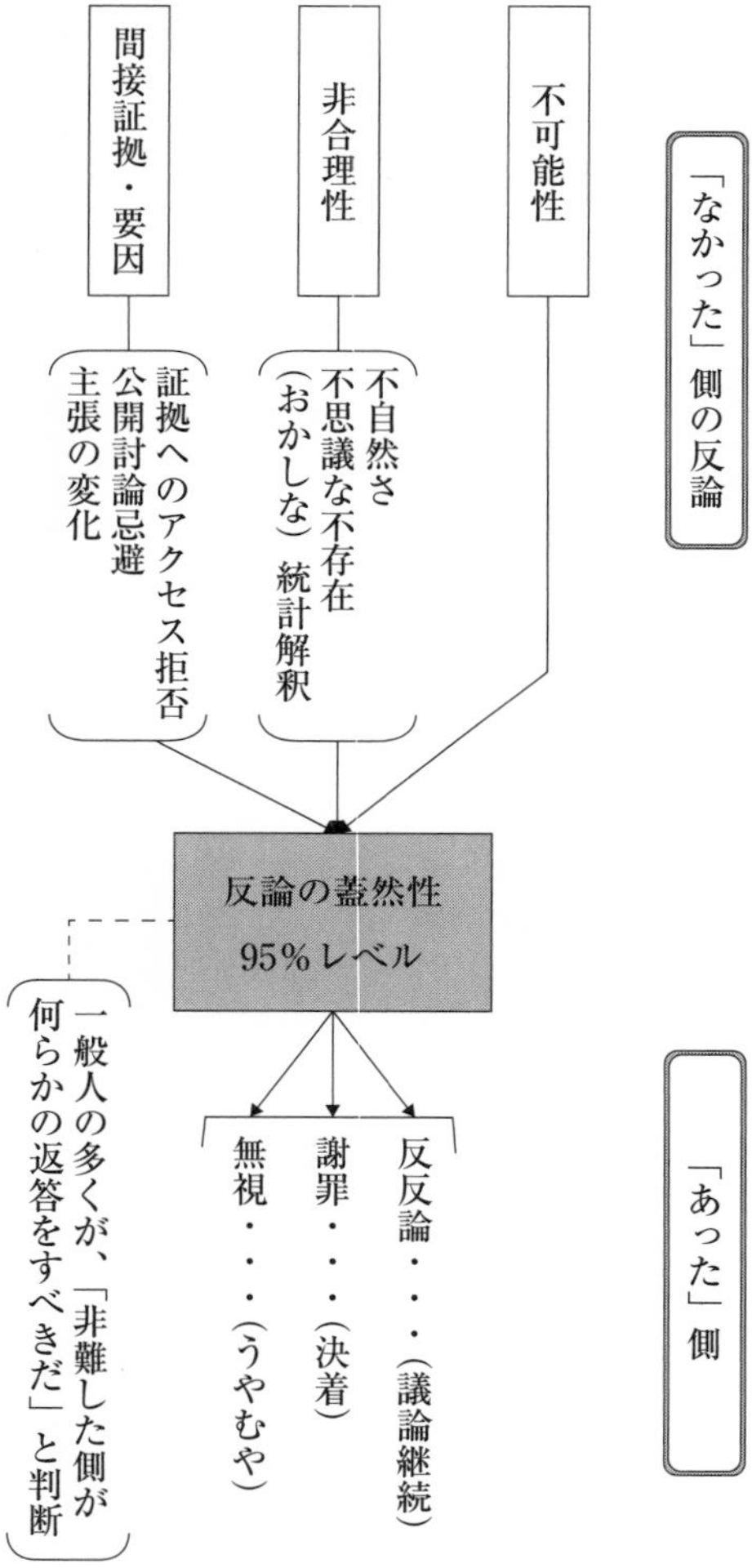

考えてほしい。まとめると図のようになる。

「歴史的にあった」と多数の人に信じられていることで、科学的（直接）証拠に乏しいもの——たとえば「聖徳太子の実績」や「イエスがベツレヘムで生まれた」——に対し、

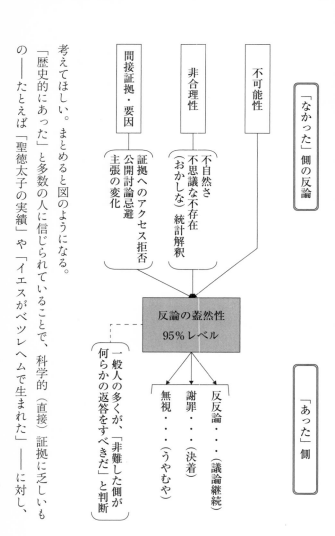

「なかった」と主張するようなケースでは、「あとからなかったとする側」がある程度の証拠を用意する必要がある。ただし、なかったとする蓋然性が一定レベルであれば、あったとする側にも挙証の責任が生まれたりするのである。

蓋然性の数値の計算方法までは、今回は示すことができなかった。かりに不自然さを示す単独事柄が三項目あって、それぞれ半分の人が同意するとすれば、あったと主張する側に残る証拠は〇・五の三乗つまり〇・一二五しかないことになる。それに加えて、ある間接補強証拠・要因に対し一〇人に七人くらいが理由ありと判断するなら、ポジティブ・プルーフ側に残る証拠は〇・一二五×〇・三、すなわち〇・〇三七五しかなく、逆に言えば反論は、九六・二五％の蓋然性を持って成功していることになる。

何度も言うように机上の空論であり、かりに一〇人のジャッジを採用するにしても、その一〇人をどう選ぶのか、誰か選ぶのか、といった基本的なことすら何も手掛かりのない状況である。

†不思議なレトリック

それより何より、文中で何度も触れたことであるが、「かたぎの世界の理屈が通用しない」人や組織体や国が存在する事実。そしてそれら人なり組織なり国が、開き直ったり強弁を駆使したりすることで、どれほど悪魔の証明の蓋然性を増やそうとも、まったく意に介さない態度をとり続けるケースが、(実社会では)よく見られるのである。

もうすでにいくつもの例を見てもらったが、挙証責任がある立場でありながら、相手にその責を負わせたり開き直ったりするケースは少なくない。そういう立場の者がよく使用する言葉、は「〜かもしれない」、「〜だろうか」、「〜だとすれば……」という言い方で始まって、いつの間にか、それらに従って「〜に違いない」、「〜と考えられる」、「〜と結論づけてよい」、「〜である」といった断定に変化するレトリックである。

場合によっては、相手をケムに巻く用語や、論理構成を使用することもある。やたら理解しづらい難解な用語が頻繁に出てくる時は、何かアヤシゲなものが背景に隠されていることが多い。確認できない前提を持ち出すケースもある。途中で因果がスッポ抜けているケースもある。そしてまだ誰も知らない不思議な概念が使われることもある。

一例として、ロンドン大学の東洋研究所のソロモン・バーンバウム教授によるクムランで発見された死海文書の年代測定の方法に関するレトリックを示しておこう。ベイジェントとリーによる文章である。

彼はクムランの洞窟4で発見された『サムエル書』のテクストを取り上げる。彼は、このテクストを方法論的に整えた後に、一つの特別の書体的特徴の五十六例を挙げ、もう一つの場合には十一例を挙げる。「愚行をもって神々は互いに空しく戦い合う」(Mit der Dummheit kämpfen Götter selbst vergeben) とはシラーの観察であった。神々自身でさえ唖然としたであろう理由によって、バーンバウムは、次のような方程式を立てる。五十六対十一の比率は、三六八対Xの比率に等しい(三六八とは、テクストがわたる年月の数であり、Xは、当該のテクストに彼が与えたいと思う年代である)。Xの値は——純粋に数学的やり方で十分合法的に計算されると——七十二になる。それは次に、バーンバウムの仮説的出発点である紀元前三〇〇年から減じられなければならない。で彼は、紀元前二二八年に到達する。彼は勝ち誇って主張する。「この結果は、『サムエル書の巻物』にとっての絶対的年代というようなものである」と。「絶対的年代」「というようなもの」という言い方は、「比較的に絶対的年代」というようなものである。だが、そのような文体上の文法違反はまったく別としても、バーンバウムの方法は、アイゼンマンが言うように、「もちろんまったく非常識なもの」である。それにもかかわらず、バーンバウムは、こういう類いの技術を、クムランで発見されたすべてのテクストの「絶対的年代」を確定するために援用したのである。(M・ベイジェント&R・リー、一九九二、二二二―二二三頁)

バーンバウム教授は、批判する者に対しては「アホには理解できんのだ」と言下に却下してしまう。その道の権威が、「アホには……」と判断を下すと、周囲は何も言わなくなるのを知っているのである。クムランの死海文書については、本章のラストでもう少し述べる。

†すりかえ

朝日新聞が従軍慰安婦問題を最初に記事にしたのは、昭和五七年(一九八二)のことであるが、元々は吉田清治の大ウソによる講演の記事だった。のちに植村隆記者による記事(平成三~四年頃)を経て、平成四年(一九九二)の朝日新聞社説では、こう述べているそうだ(以下は産経新聞、二〇一五年八月四日より)。「『挺身隊』の名で勧誘または強制連行され、(中略)兵士などの相手をさせられたといわれる朝鮮人慰安婦」、「(朝鮮)女性には兵士の慰安という役割を強要」などなど。

この断言は、翌平成五年三月には、「朝鮮半島からの労働者の強制連行があったのに、慰安婦についてだけは、強制がなかったと考えるのは不自然だろう」という推測口調に変化する。この労働者云々の前提がすでに崩れていることは前に述べた。さらに平成九年三月は、「従軍慰安婦をめぐって、日本の責任を否定しようとする動きが相次いでいる。(中略)これらの主張に共通するのは、日本軍が直接に強制連行をしたか否か、という狭い視点で問題をとらえようとする傾向だ」と、強制連行の有無は狭い視点の分析にすぎず、より広い視点では問題ではないと言い始める。この時点では、過去の記事が間違っていたことは、すでに充分に認識していたのだろう。ひとこと「苦しい」。そして「恥ずかしい」。

この後、人さわがせな河野談話があり、ついに朝日新聞は「戦時下での女性に対する性暴力をどう考えるかということは、今では国際的に女性の人権問題という文脈でとらえられています。(平成二六年八月)」と、いつの間にか別の問題(人権問題)へすりかえられているのである。最終的に朝日が誤報を認め、記事をとり消したのは、二〇一四年のことだった。たったの三二年かかっている計算だ。

中国当局は新型コロナ・ウイルスの事件において、「武漢から発生した」との疑いをとんでもない方法——挙証責任のすりかえ——で反論している。
三月に入ってからのことである。中国外務省の趙立堅《ちょうりつけん》報道官は、次のようなツイッター発言を行っているという。「このコロナウイルスはアメリカ陸軍の軍人たちによって武漢へ持ちこまれたかもしれない。アメリカ政府はその説明をする義務がある」と（古森義久『新型コロナウイルスが世界を滅ぼす——非常事態で問われる国家のあり方』二〇二〇年、八八頁）

二〇一九年一〇月、武漢で「世界軍人陸上競技大会」が開催され、米軍人も約一七〇人が参加していた。これをもって、その軍人たちがウイルスを持ち込み、散布したのではないか、というかなり無理筋の論である。

ここにおいて、「かもしれない」と自身で述べた疑惑を「その説明をする義務がある」とまで断定的に述べていることは、驚きに値するレトリックである。その主張は悪魔の証明の要求であるのみならず、挙証責任の（自分本位の）トランスファーでもある。しかもそこでは、本来提示すべきストーリィの展開——つまり誰がいつ何のためにどうやってなど、5W1H——のカケラもないからである。

自分たちへのありそうなストーリィ提示に対しては、「最初に発生したことの証拠はない」とか、「起源が中国だという結論は出てない」などと公式記者会見（二〇二〇年三月四日）で述べておきながら――しかも自分たちの疑惑を晴らすための要求には応えないで――（アメリカ側は）「説明する義務がある」とするレトリックは、少なくとも筆者の理解能力を超える。

そのくせ「中国政府はウイルス阻止でも、最初からすべてをオープンにして他の諸国と協力した」などと、うちのネコにもわかるウソを平気で宣言する根性はすごいなあと感心させられる。ちなみに武漢ウイルス研究所は、ウイルスの遺伝子情報は（どこから請求されようと）開示していない。WHOの査察チームの請求も却下された状況が続いている。

このように自分の主張（特に誰かを非難する主張）の内容を変えていく（すりかえる）のは、みじめで醜悪である。往生際が悪く、性根が腐っているのである。間違いを認めることは恥ずかしいことではない。孔子様も言っているように、「過ちを悔い改めざるをすなわち過ちという」のである。開き直っていいがかりをつけるのはヤクザも顔負け。卑怯を悔い改めないのは卑怯と言う。

すりかえは文章でも行われる。以下は河添恵子氏の記事（「Will」二〇二〇年八月号）によるが、ウイルス攻撃を扱ったディーン・R・クーンツのミステリー小説の改訂版が日本で再出版された時の話を紹介している。

ところが、「再出版された日本語改訂版」で、生物兵器の名前は「武漢―400」だが、開発は武漢ではなくゴーリキーになっていた……。

同著の「六刷」を持っている知人が編集部に電話して、この件を問い合わせたところ「誤植です、すみません」と答えたという。六刷でも誤植があり、そもそも一九九六年の改訂版以降、英語の原文では存在しない「ゴーリキー」を日本語改訂版に使っているのは、意図的な改ざんとしか考えられない。まさか、中国からの圧力などで、設定をドサクサに紛れて変更したのだろうか？（以下略）。

なにが「誤植です、すみません」だ。ある用語が増刷時に別の言葉に入れ代わることなど、誤って起こるはずがない。背後で何があったのかは、直接の証拠はないが、「我々は知っている」のである。

†刑法上は不作為も行為

メディアの中には、「報道しない自由」を堂々と表明する媒体がある。自分たちの立ち位置から見て、不利になる可能性のある事件などは、世に知られてほしくないとする力学が働くのだろうか。かなり重大な出来事でもあえて取り上げない――取り上げるにしても目立たない位置で最小限で済ます――ことがある反面、自分たちの支局が襲われ、支局員が被害を受けたような事件は、「言論に対する重大な侵害」として毎年かなりのスペースで取り上げたりするのである。

本書を通して犯罪に関する例をいくつか紹介してきたが、刑事法学上は「何もしないこと」も行為の一類型とみなされる。つまり不作為も行為と考えられるケースがあるのだ。たとえば、看板が落ちかけているのを知りながら放置しておいたり、幼児が危ない状況にあるのを単に見ているだけ、といったケースが思いつく。重大な結果（被害）が起こりうるのを知りながら、それを止める責任ある者が何もしないことは、あえて悪意ある行為を行ったのと類似のことだと考えられているのである。

ここまでに何度か述べたことであるが、自分が非難を開始しておきながら、反論する側が望んでもスペースを与えなかったり有力な反論を無視したりして、言論手段のコントロールにより特定意見を封じ込めようとする行為は、「言論上の不作為犯」とでも呼ぶべき行為だと考えるべきであろう。そう言えば「自分に不利に働くデータは公開しないこともある」と悪びれずに言い切った学者（らしき人）を前に紹介したが、これも言論上の不作為と言える。

†言論上の不作為

たとえば、応援している首相や内閣の支持率が、上がった時は大きな見出しとする。下がった時は小さな囲み記事で済ます。そんな記事を発信する新聞やメディア媒体もあれば、あるいはその逆をする媒体もある。複数のメディアの存在によって、一定のバランスがとれているとする見方もあろうが、特定の偏った新聞しかとってない家庭にとっては、特定イメージが植えつけられる可能性がある。

自民党内閣の支持率が下がったら大きく書く傾向のある朝日新聞は、本多勝一による南京大虐殺事件や、植村隆記者による慰安婦問題のウソを書き続けたことで、よく批判されている。そしてどんなに明白な事実による間違いの指摘をしても、また公開討論を呼びかけても無視・だんまりを決め込み、対応してこなかった言論上の不作為でより有名になった。

植村氏などは結局、言論を避けて法廷闘争に持ち込み、（問題は別の形をとったにせよ）不誠実な態度が明らかとなった。朝日新聞が誤報を認めた記事を掲載したのは、第一報から世代が変わるほど時間が経っていたのだった。

くり返すが、自分が仕掛けた論点に対し、相手側にスペースを与えなかったり無視することで、反論を封じようとする姿は、言論上の不作為犯と呼ぶべき犯罪行為類似の行為である。この新聞社は別の媒体による指摘や公開質問に対し、言論ではなく「訴訟による個人攻撃作戦で威圧する」ことも何度も繰り返している。大企業と個人の訴訟が、スタートからして不公平であることは前に述べたとおり。言論のリーダーを標榜する大新聞社が、自分から始めた論争に対する反論に（言論ではなく）訴訟で対応する時点で「すでにお里が知れている」ようだ。ちなみに反反論に窮したのか、自分を批判したとして西岡力《つとむ》らに対し訴訟で対抗しようとした植村記者は、二〇一九年六月に地裁で敗訴し、その後最高裁で負けが確定している。

無視やだんまりを国と国のレベルでされると、取りうる手段は極端に限定される。国連や国際司法の場でも、多くの場合「非難決議」がせいぜいで、それより何より、相手側が提訴を受けなければ論争すら開始できないケースがほとんど。つまり国単位の不作為は、パワー・ポリティックスによる外交問題に収束してしまうのである。

†政治力——パワー・ポリティックス

一党独裁であったり、一部トップによる強権政治体制の国では、人権の保障——良心（宗教を含む）の自由、言論・出版の自由、集会の自由、普通選挙権、財産権、請願権、裁判を受ける権利——などよりも、「国の宣伝や面子」が重視されることが多い。必ずしも民主制や近代資本主義社会が最上のものとは限らないが、「あなたはどちらに住みたいか」と問われると、チョイスはなきに等しい。むろん自由に物が言える方を選ぶ。ただし別の方を選ぶ人がいても非難するつもりはない（お友だちにはなりたくないだけだ）。

国と国の論争を前に進めるひとつの方法は、以前に一度触れたが「公開紙上ディベート」を「国のトップが呼びかける」ことである。日本なら首相が共同記者会見などで、特定の国に紙上ディベートを提案することである。

やり方はいろいろ考えられるだろう。たとえば売上げ上位のメディア媒体（複数可）に、国の予算で一定のスペースを確保する。文字数や期間などの条件を提示し、第一回はこちらから質問を投げかけるなどである。言語は両国の母国語に英語を加えたものになるだろう。

恐らく特定の国は受けないだろう。「失礼だ」とか、「慣例に反する」とか、「事実は明白でディベートの余地はない」、などと不作為による無視・だんまりを決め込もうとするだろう。しかし海外のすべての国は、「なぜ受けないか」と考え始める。受けない側にそれなりの理由があることを知る。とりあえずはこれで十分なのである。

願わくば中立・公平なジャッジがいるのが望ましいが、紙上ディベートによる事実・証拠の提示レベルで、ある程度は判明できるものと思われる。「最初に撃ったのはそっちだ……」といった証拠提示ができない永遠の水掛け論は、途中で止める力が必要となるかもしれないが、事実や証拠によらない単なるイチャモンは排除しうる。

†死海文書とパワー・ポリティックス

一九四七年、イスラエルのクムラン洞窟で発見された聖書の写本は、「死海文書」と呼ばれている。本書でも何度か登場しているので、覚えておられると思うが、紀元前後に存在した急進的なユダヤ教の一派が残した文書群である。「二〇世紀最大の発見」とも言われているこの死海文書、レトリックや不作為などの良い例として紹介しておこう。以下はすべてM・ベイジェントとR・リーの『死海文書の謎』（一九九二）を種本としていることをお断りしておく。

一九四七年に発見された死海文書の、特に影響力の高そうな部分のコピーを、一般の聖書学者が目にするのは、一九九〇年代に入ってからのことであった。なぜ四〇年以上も見ることすらできなかったのか。それは死海文書のいくつかの部分が、（カトリック系）キリスト教の「教義を脅かす内容」を含んでいたことが主原因である。

特に「ハバクク書註解」という文書と「セクト文書」と呼ばれるクムラン共同体の生活の規則を書いた文書の中に、イエス・キリストのユニークさ、斬新さに疑問を呈するものが含まれていた。その他多くの、キリスト教が教え、主張してきた内容に疑義を持たせるものが含まれていた。さしさわりのない文書はオープンにしても、「まずい文書を世に出すことは避けたい」という思惑が働いたのである。誰の思惑かは今のところ横に置いておく。

のらりくらりと仕事をしているフリをし、外部からの資料開示請求は、理屈をつけて断り続けた。そのプロセスは、レトリックと不作為の見本のようなものだったのである。

†国際グループの合意

レトリックと不作為の例を紹介する前に、死海文書を研究する国際チームが置かれた環境を説明しておこう。

最終的に国際グループの拠点となったのは、フランス政府が出資する「エルサレムの聖書および考古学に関するフランスの学院（以下、「聖書学院」と表記する）」である。そこに決まった経緯はややこしいので省略するが、この聖書学院の所在地がイスラエル領土に変わる一九六七年六月以前は、この場所はヨルダンの領土であった。俗に六日戦争と呼ばれる中東戦争の結果、死海文書ともどもイスラエルに帰属することになった。

文書のふり分けを指揮していたのは、ドミニコ修道会のドゥ・ヴォー神父。彼はかなり強引に全体のリーダーシップをとり、仲間を増やし、敵を減らしていた。のちの（自由に物が言える）研究者によると、クムランの文書につき、ドゥ・ヴォーのチームは、一定の「合意（という名の陰謀）」を持っていたという。次の五点がその内容である。

1. クムラン・テキストは、キリスト時代や新約聖書の成立より古い。
2. これらの文書は、一つの(とるに足りない)隠遁的共同体(エッセネ派)のものだ。(マサダ砦のような思惑とは無縁)
3. クムラン共同体は、AD六六－七三年の反乱中に破壊され、近くの洞窟に隠れた。
4. クムラン共同体の信仰は、キリスト教とはまったく違う。リーダー的人間として書かれた(つまり神格のない)「義の教師」は、イエスではない。
5. 洗礼者ヨハネは、「単なる」先駆者にすぎない。(M・ベイジェント&R・リー、一九九二、一八六頁を谷岡が要約)

特に、ハバクク書註解などに「義の教師」として書かれている人物が、のちのイエス・キリストであると同定されると、これまでのローマ教皇を中心とするキリスト教の教義が根底から崩れかねない状況であった。こうしてキリスト教神父を中心とする国際グループは、外部の研究者には文書自体を見せないように苦労したのである。まったくけしからん苦労ではあるが、その遅延は一九九一年に、主として外圧によって破られることになった。

それまでの国際グループの言動は、とんでもないレトリックの駆使と不作為の見本市と呼んでさしつかえないものだった。

†「結論ありき」の方法論

ドゥ・ヴォーによって集められた元来の国際グループの中に、モンセニョール・パトリック・スケハンという神父がいた。彼が一九六六年、ある別の書物に書いた学問の方向性（方法論）は、次のようなものだそうだ。

旧約聖書は「人類の歴史および前歴史の寸描ではない。……時の満ちるに及んで、われらの主は来られた。すべての旧約聖書学者の義務の正しい役割《パート》は、聖なる歴史のなかに、キリストが来臨するときに、キリストに気付く用意がどれほど発展させられているかを辿ることである……」と。換言すれば、あらゆる聖書学者の主たる責任は、旧約聖書のなかには、すでに受け入れられているキリスト教の教理の予見があると信じて、それらを捜し出すということである。（中略）つまり「文学的そして歴史的・批判的考察を全面に押し出すような視点から遂行される研究は、普通それを通俗化させる者たちの手にかかると、過剰な単純化、誇張、あるいは、より深遠な事柄の無視という結果になる」と。**究極的には、聖書学者の仕事は、教会の教義によって指導され決定されるべきなのであり、「常に聖なる母なる教会の神聖な権威に服従すべきである。**それは教会がキリストから受けとった教えと事実合致することを明確に証言するためである」。（M・ベイジェント&R・リー、一九九二、一六四―一六五頁、強調は谷岡による）

このように先に結論が決まっており、研究のプロセスはその結論に近づくために存在すると考え始める過ちは、思い込みの強い社会科学者がよく起こす間違いだ。

たとえば「社会的格差が犯罪の原因である」という仮説を検証しようとする犯罪学者がいたとする（本当にいた）。思い込みが先にある研究者がデータの分析をするにあたり、いつの間にか自分の都合の悪い部分は捨て、自分に都合の良い部分を過大に評価してしまう可能性は否定できない。この研究者はケネディ（およびジョンソン）政権下で非行をドラスティックに減らす政策を提言し、それは無残な失敗に終わったのである。このように自分の仮説にほれ込んでいるがゆえの主観的盲目状態は、社会科学以外においてすら例外ではない。筆者が学生の時、仮説検証のために使用する「数式」や、その結果作成される予定の「図やグラフ」は、計画書の中に書かれていなければＯＫが出なかった。それは、「あとで主観による選択がなされてはならない」という方法論上の哲学によるものだった。予定した結果がでなくとも、それはその違っていた理由を考えることで、学問の進歩に寄与できるという考え方である。

死海文書研究の国際グループは、他学者からの批判や疑問に対しては、奇妙なレトリックを駆使してでも攻撃の手はゆるめなかった。ある時論文で、オックスフォード大学のゴッドフレイ・ドライヴァー教授が、ある文書の記述は（ドゥ・ヴォーたちが主張するより後で）紀元後六六年の反乱であると結論づけたのに対し、国際グループが採った態度がそれで、ベイジェントとリー（一九九二）の文から引用すると次のようなものだ。

> もちろんドゥ・ヴォーは、こういうことをけっして受け入れることはできなかった。しかし彼は同時に、そのような正確な証拠を否定することもできなかった。その結果彼は、証拠を無視して、ドライヴァーの一般的テーゼを攻撃しようとした。「ドライヴァーは、すべての巻物がキリスト教以後のものであるという前もって構成された考えから出発したのであり、この考えは、正字法《オーソグラフィー》、言語、語彙についての誤った証言に基づいてい

る」と。彼は、「［ドライヴァーの］寄せ集めの歴史が……テクストのなかに十分な基礎を持っているかどうかを決定するのは」職業的な歴史学者のすることだ、と宣言した。「聖書学院」で聖書の歴史を教えていたドゥ・ヴォーが、突然（少なくとも彼が、ドライヴァー教授に答えなければならなかったときには）偽りの謙遜さを身に着け、自分のことを歴史学者と考えることをためらい、その代わりに、考古学と古文書学という要塞の背後に逃亡するとは、興味深いことである。（前掲書、二一〇頁）

この種の人々は、自分の立場を弁護する時は、「何でもアリの世界」に突入することが多い。本来なら「論文には論文で争うべき」時でも、マスメディアを利用したレトリック駆使によるごまかしをすることがある。次の文章は、国際グループのメンバーでありながら、合意を守らず正直に分担分を出版したアレグロ氏の疑問に、「ザ・タイムズ」に投稿で反論したストラグネル氏（国際グループのメンバー）に出した手紙の文章である。

学術誌や著作で討論し尽くす代わりに、君たちは、新聞への下品な手紙によって世論に影響を与えるほうがたやすいと思ったのだ。そして君たちはそれを、あつかましくも学問だなどと呼んでいるのだ。親愛なる若者よ、君はまだ非常に若いし、もっと多くのことを学ばなければならないのだ。（前掲書、八七頁）

学術の論争にメディアを利用するのは、（多くは）負け組が多い。客観性の高い順に筆者は、「裁判→学術論争→メディア媒体→SNSなど」と考えているが、ここでアレグロ氏がストラグネル氏をいさめているのは、学術論争のレベルを下げるなということであろう。

自分たちの立場に不当に固執する側は、時として「アメとムチ」を使用する。国際グループは、アレグロがBBC（アウィン・ダジャーニというプロデューサー）と進めていた番組にも干渉し、ムチによる番組の差し止めが無理とわかるとアメを持ち出した。

私の親愛なる同僚たちに、彼らなしにでも、その番組は進められるということが明らかになるや否や、……彼らはカードをテーブルの上に置き始めた。彼らが反対していたのはその番組ではなく、ただ私アレグロに対してであった。……そこで彼らはわれわれのホテルにタクシーを呼び、監督に一つの提案をした――もし監督がアレグロを完全に排除し、ストラグネルあるいはミリクを彼の脚本家とするならば、協力しようと言ったのである。……それからある日、われわれがクムランで一日仕事をして消耗して帰って来た後、アウィン・ダジャーニは電話をかけてきて、彼が戻ったとき、ある（匿名の）書き付けが彼を待っていたと言った。それには、われわれがアンマンへ行って、そこの博物館で写真を撮るのを止めさせるならば、一五〇ポンドを提供すると書いてあった。（前掲書、九六頁）

一五〇ポンドとは少々ケチくさい鼻薬だ。一九五七年までに完成したアレグロたちの映像は、あれやこれやで一九五九年まで放映されることはなく、しかも深夜の枠に流されただけだった。アレグロがアウィン・ダジャーニに書いた手紙がそれを物語る。

さて彼らはまたもややらかした。ＢＢＣは、巻物に関するあのテレビ番組の放映を、これで五回も引き延ばした。……ロンドンにいるドゥ・ヴォーの仲間たちが、あの番組を、彼がお望みのように、潰すために彼らの影響力を使っているのだということを疑うまともな理由は何もない。……ドゥ・ヴォーは、巻物の資料をコントロールするためなら何事も辞さないのだ。どうにかして彼を、現在の支配的地位から外さなければならない。私は確信している。ローマ・カトリック教会の教義に影響を与えるようなものが何か出てきたら、世界はそれを決して目にすることはないであろうと。ドゥ・ヴォーは、最後に残った手段を使って、それらを全部ヴァチカンに送り、隠すか破壊するかしてしまうだろう……。(前掲書、九九頁)

†背後の組織

少々鋭さの足りない人々にももうおわかりだろう。聖書学院の国際グループは、ローマ教皇庁と深い関係にあったのだ。聖書学院の学位が「教皇庁聖書委員会」から出されていることを始め、聖書学院ははじめから教皇庁のコントロール下にある。この委員会と別のカトリックの組織に「信仰教理聖省」(この呼び名は一九六五年以降)がある。こういった制度は十三世紀にまで遡り、これらの前身は一五四二年当時の「検邪聖省」、さらにそれ以前は「異端審問聖省」と呼ばれていた。

今日でさえ教皇庁聖書委員会は、カトリック教会の援助の下で行なわれているすべての聖書研究を監視し監督し続けている。それはまた、「聖書の……正しい教え方」に関する公式の教書を出版している。一九〇七年には、これらの教書への服従が、教皇ピウス一〇世によって義務化された。かくて例えば、委員会は教書によって、モーセが『五書』の文字通りの著者であることを「確定した《エスタブリッシト》」のである。一九〇九年には、同様の教書が、『創世記』の最初の三章が文字通りに歴史的に正確であることを確証した。もっと最近では、一九六四年四月二十一日には、委員会は聖書一般を、そしてさらに特定的には「諸福音書の歴史的真理」を統御する教書を出した。教書はきわめて明白なものであり、「解釈者は常に、教会の教権に直ちに従うという精神を大事にしなければならない」と宣言している。それはさらに、すべての「聖書協会」(biblical associations)に責任を持つ者たちが、「すでに教皇庁聖書委員会によって定められた不可侵の法を守る」義務があると宣言している。この委員会の庇護の下に仕事をしているいかなる学者も――そしてこれはもちろん聖書学院の者たちをも含む――委員会の教書によって実際に拘束されているのである。研究者たちが、どのような結論に達しようが、その研究が彼らをどのような啓示に導こうが、彼らは、著作や教育において、委員会の教義的権威と矛盾してはならないのである。(前掲書、一七二頁)

クムランで発見された青銅硬貨の年代

紀元前135－104年のもの……………………………………………… 1枚
紀元前104年のもの ……………………………………………………… 1枚
紀元前103－76年のもの …………………………………………… 143枚
紀元前76－67年のもの……………………………………………………… 1枚
紀元前67－40年のもの……………………………………………………… 5枚
紀元前40－37年のもの……………………………………………………… 4枚
紀元前37－ 4 年のもの……………………………………………………10枚
紀元前 4 －紀元後 6 年のもの…………………………………………16枚
紀元後 6 －41年（プロクラトルの時代）のもの………………………91枚
紀元後37－44年（アグリッパ 1 世の治世）のもの……………………78枚
紀元後54－68年のローマ硬貨…………………………………………… 2枚
紀元後67年（反乱の 2 年目）のもの……………………………………83枚
紀元後68年（反乱の 3 年目）のもの…………………………………… 5枚
反乱時代の付加的なもの、酸化がひどくこれ以上正確には確定不可能なもの…………………………………………………………………… 6枚
紀元後67－68年のローマ硬貨……………………………………………13枚
紀元後69－79年のローマ硬貨…………………………………………… 1枚
紀元後72－73年のもの……………………………………………………… 2枚
紀元後72－81年のもの……………………………………………………… 4枚
紀元後87年のローマ硬貨………………………………………………… 1枚
紀元後98－117年のローマ硬貨 ………………………………………… 3枚
紀元後132－136年（シモン・バル・コクバの反乱の時代）のもの
……………………………………………………………………………… 6枚

（前掲書、p.216-217）

死海文書の教義に反する解釈は、「モダニスト的」と決めつけられ、その言説を引用したりすると、火炙りとは言わないにしても、地位は失うことになる。セミナリーや神学校の学生たちは、（モダニストの論文はもちろん）新聞を読むことすら禁じられた。

†物的証拠

発掘の早い時期に、ドゥ・ヴォーは古い硬貨を発見し、それがAD六八年以前のものと信じて、高らかに「洞窟のいかなる巻物も、紀元後六八年六月以降ということはありえない」と宣言したそうである（前掲書、二一四頁）。

しかしのちにこの硬貨が紀元後七二年か七三年のものと判明。その時ドゥ・ヴォーは「実はこの硬貨は存在しない」と述べた。さらにAD一三八年から一六一年の間の硬貨が発見されると、「通行人が失くしたものに違いない」とうそぶいたという。

のちの発掘で四五〇枚の硬貨が発見された。それは前頁の表のような年代だった。

国際チームにとっては残念なことに、クムラン共同体には二つのピークがあることが明らかとなった。まさか通行人が二五〇枚ものコインを失くしたと強弁しても、もはや通用する世界はないだろう。

†イエスとパウロ

死海文書が公になってから、（まともな）研究者の間で、「ハバクク書註解などに登場する「義の教師」がイエスをさす」こと、クムランには「ヤコブやペテロによる原始キリスト教団が拠点を持っていた」ことなどは、疑うまともな研究者はいなくなった。ここまで紹介した根拠以外にも多くの根拠が見つかったのである。

死海文書には、義の教師を死に至らしめた「悪しき祭司」や、一度はクムラン共同体に高い地位で受け入れられ、その後に離反する「偽り者」のことが書かれている。詳細は省略するが、偽り者とはどこから解釈しても「パウロ以外ありえない」記述であるという。むろんパウロの書を聖典とするキリスト教の権威者たちからは、受け入れがたいものであろう。しかしながら前述の五点の合意は、九〇年代の文書公開によりほぼすべてが否定されてしまった。学問が教義に勝利したのは（個人的に）喜ばしいことである。たった四〇年ちょっとで。

以上、いろいろとレトリックや不作為の例を見てもらったが、二〇世紀半ばを過ぎた学問の世界ですらこのありさま。ましてやマス・メディアやＳＮＳにまともな論争を期待するのが、そもそもの間違いであることはおわかりいただけよう。

賭けマージャンをしていたという理由で、二つのグループから告発された、黒川弘務前検事長ら四人は、二〇二〇年七月一〇日、不起訴処分となったと報じられていた。告発したグループ——市民団体と岐阜県の弁護士四人——は、七月一三日までに検察審査会に審査を申し立てをし、二〇二一年三月には略式起訴することが決定された。ちなみに卓を囲んでいた産経と朝日の記者は再度不起訴になった。

告発グループは不起訴に不服であったようだが、この判決自体、憲法の精神（法の下の平等）に照らして正当とは考えずらい面がある。このように「自分だけの正義」をふり廻す類の人々は少なくないが、あえて言えば、個人的にはお友だちになりたいタイプではない。麻雀荘で遊んでいる人々のほとんどが賭けているのは、皆が知っていることである。

†ダブルスタンダード

ほぼ時を同じくして、読売巨人軍の原監督による賭博行為の記事が、三週続けて「週刊新潮」に掲載された。それぞれ別の人々による証言は生々しく、動いた金額は黒川氏のそれよりケタが二〜三個上であるが、市民団体による告発の動きは見られない。「週刊新潮」の記事が各週五割程度の信憑性としても、筆者の計算式で、(三回分で)八七・五%の蓋然性となる。

あえて言えば、本来はパチンコ店の特殊景品による換金行為を告発すべきと考える。店も客も(しょーもない)文鎮やライター石を景品として獲得したがっているわけでないことは「皆が知っている」。その文鎮やライター石が、パチンコ店の近くにある小さな窓口(名目上は古物商)で、一定値段で買い取ってもらっているという感覚はなく、カジノ・チップを換金しているのと同様だという認識は、ほぼ全員が持っている。なぜ市民団体はこれを告発しないのだろうか。刑事法学者として言わせてもらえば、これこそまっ黒な違法行為である。

黒川氏らの一点一〇〇円というレートの麻雀は、四〇年前に起訴されるレートの最低ライン、「リャンピン(一点二〇〇円)」の半分(当時検察関係の人から聞いた話)であり、可罰的違法性は無いに等しい。今回の事件は検察が捜査し、すでに不起訴が決まっている事案である。賭博に関する二重三重のスタンダートは、法治国家として危険なことであるが、別に賭博に限らず日本社会で日常茶飯事的に起こっていることを筆者は憂う。

さて、本書では、特定の新聞やキリスト教の悪い点を特にあげつらっているように感じた人も多いかと思うが、その実、筆者は、朝日新聞のファンを自認している。キリスト教に関しては、一部のケシカラン上層部は嫌いだが、そのすばらしい内容の教義は、筆者の生きざまに浸透していると言っても過言ではない。

「ホントかねえ?」と疑っている人に対し、筆者の幼少期の経験をあえて紹介しておこう。

†裏の教会の話

筆者が三歳の時に引っ越したのは、阪神間のある街だった。一家六人(当時)で住み始めた家の裏口は、プロテスタント系キリスト教会とつながっていたため、教会の敷地にはしょっちゅう入り込んで遊んでいた。

筆者は(今でもそうだが)朝早く起きるのが常で、平日はもとより、土日でも朝早くからガサゴソと動き回っていた。日曜日くらいもっと寝ていたいと考えた両親(ちなみにウチは浄土真宗)は一計を案じ、筆者に献金用の一〇円玉を何枚か持たせて、日曜学校(つまり教会の礼拝）に行かせることにしたのだ。合同礼拝が朝八時頃に始まり、九時すぎには年齢別に分科会があったようだが、教会に通うようになってからは、八時よりかなり前からいろんな友人とはしゃぎまわることが日曜日の筆者の日課となったわけである。

自分で言うのもナンだが書物大好き人間だった筆者は、子供向けの聖書物語関連著作を何冊もすぐに読み終え、大人向けも読んだ。「死にかけた病人が歩き始めた」とか、「一個のパンを多くの人々に分けた」とか、常識ではホンマかいなという話も、とりあえず吸収していったのである。ホンマかいなとは思いつつも、分科会のお兄さんがいい人で、「この人の言うことなら、とりあえず信じておこう」と思ったのも確かだった。

中学受験に向けて少々時間がとられるようになり、教会に行くのをやめるまで四〜五年通っただろうか。こうして筆者は形式上は立派なキリスト教メンバーだったのである。その後の人生において多くのことを学ぶ中で、「世の中には何千（それ以上）もの宗教があり、お互いに矛盾を抱えつつも共存している社会が現に続いている」という認識を持つことになった。「どれか一つが正しいなら残りは間違っている」のではなく、どの宗教のメンバーたちも指針として「（自分なりの）正しい教え」を持つことは良いことなのだと。

従ってもう一度確認しておこう。タニオカ先生がキリスト教を嫌いだなんてトンデモナイこと（ただ前述のように、偽善的な聖職者の中には嫌いな人はいる）。そして（何の宗教にせよ）神を信じているかと問われると、個人的には信じてないとしか言いようがない。本当に神がいるならなんとかしてくれ、という悲しいことが世の中に多すぎるからである。

これでもまだタニオカ先生はキリスト教を嫌いだと思っている人、オノレは餓鬼畜生ジャ！

参考文献

イアン・ハッキング〔北沢格＝訳〕『記憶を書きかえる――多重人格と心のメカニズム』早川書房、一九九八年
ウィリアム・ライアン、ウォルター・ピットマン〔戸田裕之＝訳〕『ノアの洪水』集英社、二〇〇三年
ケン・フォレット〔戸田裕之＝訳〕『火の柱〈上・中・下〉』扶桑社ミステリー、二〇二〇年
小室直樹『日本人のための宗教原論』徳間書店、二〇〇〇年
バート・D・アーマン〔松田和也＝訳〕『捏造された聖書』柏書房、二〇〇六年
バリー・J・バイツェル〔監修〕〔船本弘毅＝日本語版監修／山崎正治他＝訳〕『地図と絵画で読む聖書大百科』創元社、二〇〇八年
マイケル・ベイジェント、リチャード・リー〔高尾利数＝訳〕『死海文書の謎』柏書房、一九九二年
山本七平『〔新装版〕山本七平の旧約聖書物語〈上・下〉』ビジネス社、二〇一五年
レザー・アスラン〔白須英子＝訳〕『イエス・キリストは実在したのか？』文藝春秋、二〇一四年
ローレンス・ライト〔稲生平太郎・吉永進一＝訳〕『悪魔を思い出す娘たち――よみがえる性的虐待の「記憶」』柏書房、一九九九年
P・G・マックスウェル‐スチュアート〔高橋正男＝監修〕『ローマ教皇歴代誌』創元社、一九九九年
T.C.Mitchell, *The Bible In The British Museum – Interpreting The Evidence*, British Museum Publications, 1988

ちくま新書
1574

悪魔《あくま》の証明《しょうめい》
――なかったことを「なかった」と説明できるか

二〇二一年五月一〇日　第一刷発行

著　者　谷岡一郎（たにおか・いちろう）

発行者　喜入冬子
発行所　株式会社　筑摩書房
東京都台東区蔵前二-五-三　郵便番号一一一-八七五五
電話番号〇三-五六八七-二六〇一（代表）
装幀者　間村俊一
印刷・製本　三松堂印刷　株式会社

ISBN978-4-480-07400-3 C0230

ちくま新書

884
40歳からの知的生産術
谷岡一郎
マネジメントの極意とは？　時間管理・情報整理・知的生産の3ステップで、その極意を紹介。ファイル術からアウトプット戦略まで、成果をだすための秘訣がわかる。

1320
定年後の知的生産術
谷岡一郎
仕事や人生で得た経験を生かして、いまこそ研究に没頭するチャンス。情報の取捨選択法、資料整理術、そして著書の刊行へ。「知」の発信者になるノウハウを開陳。

110
「考える」ための小論文
西研
森下育彦
論文を書くことは自分の考えを吟味するところから始まる。大学入試小論文を通して、応用のきく文章作法を学び、考える技術を身につけるための哲学的実用書。

122
論文・レポートのまとめ方
古郡廷治
論文・レポートのまとめ方にはこんなコツがある！　用字、用語、文章構成から図表の使い方まで実例を挙げながら丁寧に秘訣を伝授。初歩から学べる実用的な一冊。

292
ザ・ディベート
——自己責任時代の思考・表現技術
茂木秀昭
「原発は廃止すべし」。自分の意見をうまく言えますか？　データ集めから、立論、陳述、相手への反駁まで、学校やビジネスに活きるコミュニケーション技術を伝授。

486
図書館に訊け！
井上真琴
図書館は研究、調査、執筆に携わる人々の「駆け込み寺」である！　調べ方の超基本から「奥の手」まで、カリスマ図書館員があなただけに教えます。

542
高校生のための評論文キーワード100
中山元
言説とは？　イデオロギーとは？　テクストとは？　辞書を引いてもわからない語を、思想的背景や頻出する文脈から解説。評論文を読む〈視点〉が養えるキーワード集。

ちくま新書

600 大学生の論文執筆法 石原千秋
大学での授業の受け方から、大学院レベルでの研究報告や社会に出てからの書き方まで含め、執筆法の秘伝を公開する。近年の学問的潮流も視野に入れた新しい入門書。

604 高校生のための論理思考トレーニング 横山雅彦
日本人は議論下手。なぜなら「論理」とは「英語の」思考様式だから。日米の言語比較から、その背後の「心の習慣」を見直し、英語のロジックを日本語に応用する。2色刷。

839 実践！ 交渉学 ――いかに合意形成を図るか 松浦正浩
問題に関係している人全員のメリットを探求する学問、「交渉学」。身近なところから国際関係まで幅広く使えるその方法論と社会的意義をわかりやすく解説する。

908 東大入試に学ぶロジカルライティング 吉岡友治
腑に落ちる文章は、どれも論理的だ！ 東大入試を題材に、論理的に書くための「型」と「技」を覚えよう。学生だけでなく、社会人にも使えるワンランク上の文章術。

972 数学による思考のレッスン 栗田哲也
隠された問いを発見し、自前のストーリーを構築する思考の力とは何か。数学五輪メダリストを育てる著者が体験に基づいて問題提起する、数学的「考えるヒント」。

988 キレる女 懲りない男 ――男と女の脳科学 黒川伊保子
脳の回路特性を知れば、男と女はもっとわかり合える。職場では人材活用の参考書となり、恋愛指南本として使え、夫婦の老後の備えともなる究極の男女脳取扱説明書。

993 学問の技法 橋本努
学問の王道から邪道まで、著者自身の苦悩から生み出されたテクニックを満載！ 大学生はもちろん社会人も、読めば学問がしたくてしょうがなくなる、誘惑の一冊。

1012
その一言が余計です。
――日本語の「正しさ」を問う
山田敏弘
「見た目はいいけど」「まあ、がんばって」何気なく使った言葉で相手を傷つけた経験はありませんか。よりよいコミュニケーションのために、日本語の特徴に迫る一冊。

1051
つながる図書館
――コミュニティの核をめざす試み
猪谷千香
公共図書館の様々な取組み。ビジネス支援から町民の手作り図書館、建物の外へ概念を広げる試み……数々の現場を取材すると同時に、今後のありかたを探る。

1057
ヴァティカンの正体
――究極のグローバル・メディア
岩渕潤子
幾多の転換期を生き延びたヴァティカンのメディア戦略を歴史的に俯瞰し、特に宗教改革、対抗宗教改革における生き残り策から、日本が学ぶべきことを検証する。

1088
反論が苦手な人の議論トレーニング
吉岡友治
「空気を読む」というマイナスに語られがちな行為は、実は議論の流れを知るための技でもあった！　ツッコミから反論、仲裁まで、話すための極意を伝授する。

1131
部落解放同盟「糾弾」史
――メディアと差別表現
小林健治
悪意をむき出しにした差別事件がくり返され、いっそう激しさを増している。部落解放運動の生命線である糾弾の意義を問い直し、反差別運動再生へ狼煙を上げる。

1154
「聴能力！」
――場を読む力を、身につける。
伊東乾
「よく聴く」ことで、相手やその場を理解し、プレゼンや面接で魅力的な話し方ができ、コミュニケーション上手になる。誰もが持つ「聴能力」を効果的に使おう。

1167
大人のためのメディア論講義
石田英敬
情報産業が生みだす欲望に身を任せ、先端技術に自らの意識を預ける――24時間デジタル機器を手放せない現代人に何が起こったのか。2つのメディア革命を検証。

ちくま新書

1200 「超」入門！ 論理トレーニング　横山雅彦
「伝えたいことを相手にうまく伝えられない」のはなぜか？ 日本語をロジカルに運用し、論理思考をコミュニケーションとして使いこなすためのコツを伝授！

1249 日本語全史　沖森卓也
古代から現代まで、日本語の移り変わりをたどり全史を解き明かすはじめての新書。時代ごとの文字・音韻・語彙・文法の変遷から、日本語の起源の姿が見えてくる。

1307 身体が生み出すクリエイティブ　諏訪正樹
クリエイティブは、身体とことばの共存が生み出すのではないか。着眼と解釈のこつを身につけ、なんでも試してみる習慣にすることで、人はもっと創造的になれる。

1352 情報生産者になる　上野千鶴子
問いの立て方、データ収集、分析、アウトプットまで、新たな知を生産し発信するための方法を全部詰め込んだ一冊。学生はもちろん、すべての学びたい人たちへ。

1363 愛読の方法　前田英樹
本をたくさん読んでもかえってバカになる人間が後を絶たない――。書かれたものへの軽信を免れ、いかに生きるべきかという問いへとつながる「愛読」の秘訣を説く。

1380 使える！「国語」の考え方　橋本陽介
読む書く力は必要だけど、授業で身につくの？ 小説と評論、どっちも学ばなきゃいけないの？ 国語にまつわる疑問を解きあかし、そのイメージを一新させる。

1390 これなら書ける！ 大人の文章講座　上阪徹
「人に読んでもらえる」文章を書くには、どうしたらいいか？ 30年プロとして書いてきた著者が、33の秘訣を大公開！ 自分の経験を「素材」に、話すように書こう。

1392
たった一言で印象が変わる大人の日本語100
吉田裕子
「大人ならそういう言い方はしない」と思われないように。仕事の場はもちろん、日常生活でも「教養ある大人」としての基本的な語彙力が、これ一冊で身につく。

1404
論理的思考のコアスキル
波頭亮
ホンモノの論理的思考力を確実に習得するための決定版！　必須のスキル「適切な言語化」「分ける・繋げる」「定量的判断」と、その具体的トレーニング方法を指南する。

1412
超速読力
齋藤孝
「超速読力」とは、本や書類を見た瞬間に内容を理解し、コメントを言えるという新しい力。本質をつかむためには必須の能力なのだ。日本人なら誰でも鍛えられる。

1417
対話をデザインする
――伝わるとはどういうことか
細川英雄
対話の基本は「あなた自身にしか話せないこと」を見つけることです。そこから始めて話題設定、他者との関わり、納得と合意の形成まで、対話の根本を考えます。

1453
人間のトリセツ
――人工知能への手紙
黒川伊保子
ＡＩと人間は、こんなに違う‼　黎明期からのＡＩ開発研究者が断言する、ほんとうの境界とは。「人工知能に何をさせないか」が分かる、人類初のトリセツ。

1456
精神科医が教える　聴く技術
高橋和巳
人の話を聴くことは難しい。精神科医であり、多くのカウンセラーを育てた著者が教える「聴く技術」。四つのステップに分けて、事例と共にわかりやすく解説する。

1505
発想の整理学
――ＡＩに負けない思考法
山浦晴男
人間にしかできない発想とは何か？　誰もがもつ能力を最大限に引き出し答えを導く。ビジネス、研究活動、そして日常生活でも使える創造的思考法を伝授する。

ちくま新書

1531
言霊と日本語
今野真二
非科学的と考えられがちな江戸の国学者の言霊研究だが、現代言語学に通底する発見もあった。ことばの渉猟者の足跡をたどり詩的言語としての日本語表現に迫る。

1541
手話の学校と難聴のディレクター
――ＥＴＶ特集「静かで、にぎやかな世界」制作日誌
長嶋愛
難聴のＴＶディレクターが手話の学校にやってきた。そこでみつけた「共に生きる」ことの意味とは――。ＥＴＶ特集『静かで、にぎやかな世界』の舞台裏。

1551
問いの立て方
宮野公樹
テーマ、課題、目標と大小問わず「問い」には様々な形がある。では、どの問いにも通用するその考え方とはなにか？　その見つけ方・磨き方とあわせて解説する。

1097
意思決定トレーニング
印南一路
優柔不断とお悩みのあなた！　それは性格のせいではなく、決め方を知らないのが原因です。ダメなルールをやめて、誰もが納得できる論理的な方法を教えます。

545
哲学思考トレーニング
伊勢田哲治
哲学って素人には役立たず？　否、そこは使える知のツールの宝庫。屁理屈や権威にだまされず、筋の通った思考を自分の頭で一段ずつ積み上げてゆく技法を完全伝授！

666
高校生のための哲学入門
長谷川宏
どんなふうにして私たちの社会はここまできたのか。「知」の在り処はどこか。ヘーゲルの翻訳で知られる著者が、自身の思考の軌跡を踏まえて書き下ろす待望の書。

695
哲学の誤読
――入試現代文で哲学する！
入不二基義
哲学の文章を、答えを安易に求めるのではなく、思考の対話を重ねるように読み解いてみよう。入試問題の哲学文を「誤読」に着目しながら精読するユニークな入門書。

ちくま新書

1046
40歳からの会社に頼らない働き方
柳川範之
誰もが将来に不安を抱える激動の時代を生き抜くには、どうするべきか？「40歳定年制」で話題の経済学者が、新しい「複線型」の働き方を提案する。

1058
定年後の起業術
津田倫男
人生経験豊かなシニアこそ、起業すべきである――第二の人生を生き甲斐のあふれる実り豊かなものにしたいあなたに、プロが教える、失敗しない起業のコツと考え方。

1130
40代からのお金の教科書
栗本大介
子どもの教育費、住宅ローン、介護費用、老後の準備、相続トラブル。取り返しのつかないハメに陥らないために、「これだけは知っておきたいお金の話」を解説。

1275
ゆとり世代はなぜ転職をくり返すのか？
――キャリア思考と自己責任の罠
福島創太
いま、若者の転職が増えている。本書ではゆとり世代の若者たちに綿密なインタビューを実施し、分析。また、彼らをさらなる転職へと煽る社会構造をあぶり出す！

1316
アベノミクスが変えた日本経済
野口旭
「三本の矢」からなるアベノミクスは、日本経済を長期デフレから脱却させることに成功しつつある。その現状を示し、その後必要となる「出口戦略」を提示する。

1351
転職のまえに
――ノンエリートのキャリアの活かし方
中沢孝夫
仕事人生の転機において何を考えるべきか？ 雇用の基本、キャリア、自己投資。中小企業論の第一人者が様々な実例とともに語る、中高年からの働き方「再」入門。

1437
ネットで勝つ情報リテラシー
――あの人はなぜ騙されないのか
小木曽健
ネット空間は怖くない！ フェイクを見破り、炎上を防ぎ、あなたの声を正しく届ける技術、教えます。「ネットで勝ち抜く」大人のための情報リテラシー入門書。

ちくま新書

1526
統計で考える働き方の未来
坂本貴志

労働の実態、高齢化や格差など日本社会の現状、賃金や社会保障制度の変遷などを多くの統計をもとに分析し、そこから未来を予測。高齢者の働き方を考える。

1447
長生きの方法 ○と×
米山公啓

高齢者が血圧を下げても意味がない？ 体にいいものを食べてもムダ？ 自由で幸せな老後を生きるために知っておきたい、人生100年時代の医療との付き合い方。

1500
マンガ 認知症
ニコ・ニコルソン
佐藤眞一

「お金を盗られた」と言うのはなぜ？ 突然怒りはじめるのはどうして？ 認知症の人の心の中をマンガで解説。読めば心がラクになる、現代人の必読書！

1532
医者は患者の何をみているか
――プロ診断医の思考
國松淳和

プロ診断医は全体をみながら細部をみて、病気の起きている理屈を考え、自在に思考を巡らせている。病態把握のために「みえないものをみる」、究極の診断とは？

1084
50歳からの知的生活術
三輪裕範

人生80年時代、50歳からも先は長い。定年後の人生を充実させるために重要なのが「知的生活」である。本書は、知的生活に役立つ、一生ものの勉強法を伝授する。

1104
知的生活習慣
外山滋比古

日常のちょっとした工夫を習慣化すれば、誰でも日々向上できるし、人生もやり直せる。『思考の整理学』の著者が齢九十を越えて到達した、知的生活の極意を集大成。

1537
定年後の作法
林望

定年後の年の取り方に気を付けよう！ 無駄なことに時間を使ったり、偉そうにしたりするのではなく、適度に清潔で品のある人にみられるための方法を伝授する。